Kana

NOBUYUKI ANZAI

安西信行

MÄR

2

MÄRCHEN AWAKEN ROMANCE

PERSONNAGES PRINCIPAUX
MÄR
MÄRCHEN AWAKEN ROMANCE
BABBO
ÄRM PARLANT, CHOSE RARISSIME.
DÉCIDE DE SUIVRE GINTA DANS SES AVENTURES.
KOYUKI
CAMARADE DE CLASSE DE GINTA, ELLE ÉCOUTE TOUJOURS TRÈS ATTENTIVEMENT LES RÉCITS DE SES RÊVES.
GINTA TORAMIZU
SIMPLE COLLÉGIEN DE 2E ANNÉE, IL RÊVE TOUJOURS DE CONTRÉES FÉERIQUES. IL PREND UN PLAISIR FOU DANS L'EXPLORATION DE CET AUTRE MONDE.

GINTA TORAMIZU, UN COLLÉGIEN ORDINAIRE QUI PASSE SON TEMPS À RÊVER DE MONDES FÉERIQUES, VOIT UN JOUR S'OUVRIR DEVANT LUI UNE PORTE MAGIQUE. IL L'EMPRUNTE ET SE RETROUVE DANS UNE ÉTRANGE CONTRÉE. C'EST LE PAYS DE SES SONGES, PEUPLÉ DE LOUPS-GAROUS, DE SORCIÈRES, ET OÙ LES MAÎTRES ARTISANS FABRIQUENT, GRÂCE À LA MAGIE, DES "ÄRMS", ARTEFACTS PORTEURS DE GRANDS POUVOIRS. PAR HASARD, GINTA S'EMPARE DE BABBO, UN ÄRM VIVANT ET DOUÉ DE PAROLE. C'EST LE DÉBUT D'UNE LONGUE QUÊTE...

SORCIÈRE À LA MAUVAISE RÉPUTATION. ELLE APPROCHE GINTA POUR PERCER LES MYSTÈRES QUI ENTOURENT L'ÄRM BABBO.

PETA

MANIEUR D'ÄRMS. IL EST À LA RECHERCHE DE BABBO.

JACK

IL VIVAIT AVEC SA MAMAN, TIRANT LEUR SUBSISTANCE DU TRAVAIL DE LA TERRE. APRÈS AVOIR VAINCU LES FRÈRES LOUPS-GAROUS, IL SE MET EN ROUTE AVEC GINTA.

SOMMAIRE

ÉPISODE 10 / VISITE EN VILLE 5
ÉPISODE 11 / ALVISS 23
ÉPISODE 12 / LES PIÈCES DE L'ÉCHIQUIER 41
ÉPISODE 13 / LE PARI 59
ÉPISODE 14 / PRINCESSE SNOW 1 LE CHIEN ENDORMI 77
ÉPISODE 15 / PRINCESSE SNOW 2 PRISONNIÈRE DES GLACES 95
ÉPISODE 16 / PRINCESSE SNOW 3 PREMIER CONTACT 113
ÉPISODE 17 / PRINCESSE SNOW 4 DÉCLARATION DE GUERRE 131
ÉPISODE 18 / PRINCESSE SNOW 5 UN AUTRE EDWARD 149
ÉPISODE 19 / PRINCESSE SNOW 6 REBONDISSEMENTS 167

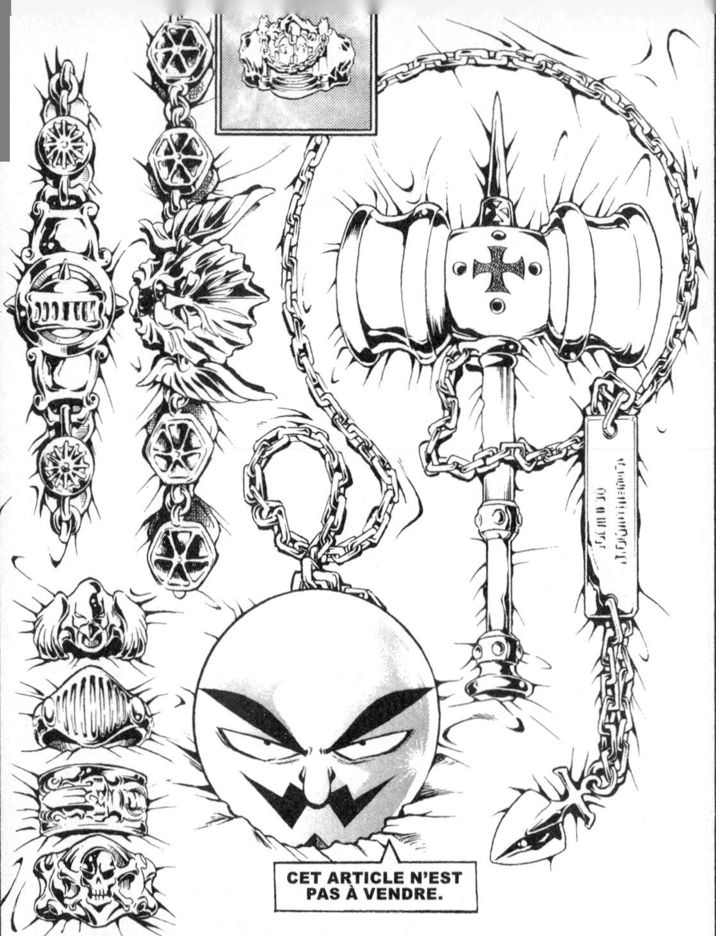
CET ARTICLE N'EST PAS À VENDRE.

ÉPISODE 10 :

VISITE EN VILLE

CINQ JOURS SE SONT ÉCOULÉS DEPUIS L'ARRIVÉE DE GINTA DANS CE MONDE.
IL S'EST LIÉ D'AMITIÉ AVEC JACK ET CHERCHE MAINTENANT UN MOYEN DE RETOURNER CHEZ LUI.

C'EST ÉTRANGE !!!
OUI, ÉTRANGE !!!
TOUT À FAIT D'ACCORD !
C'EST ON NE PEUT PLUS SINGULIER.

VROL
VROL
ぐ゛りぐ゛りぐ゛りぐ゛り
VROL
C'EST DE TOI QU'ON PARLE ! DE TOI !
À BIEN Y RÉFLÉCHIR, BABBO EST UNE DRÔLE DE FORME DE VIE...

UN QUOI ?
MAIS NON ! C'EST UN BILBOQUET !!!
REGARDE !!!
?
ON PEUT LE CLASSER DANS LA CATÉGORIE DES "WEAPON ÄRMS".
C'EST UN MARTEAU DE GUERRE...
... MAIS AUSSI UNE MASSE D'ARMES ...!!
FWWOOOSH
POK
POK
POK
AH !!!
BUGH
POMK
ET POUR FINIR...
ATT...
ATTENDS...
AAH !!!

HM ?
GYAAAH !!!
GWAAARH
WAOW !!!
CLAP CLAP
TU ES UN BILBOQUET !!!
JE VAIS T'EXTERMINER, MANANT !!
CROCK
TANTÔT GRAND, TANTÔT PETIT...
IL PEUT CHANGER DE TAILLE À VOLONTÉ.
RIEN À VOIR AVEC MA PELLE.
CROCK
IL Y A UN DÉTAIL QUI M'INTRIGUE...
CE SONT CES 8 TROUS DANS LA PARTIE MÉDIANE DU MARTEAU.

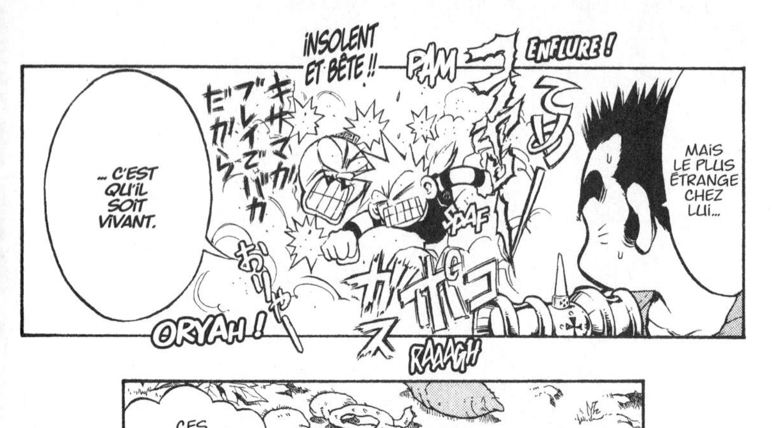
ENFLURE !
PAM
INSOLENT ET BÊTE !!
MAIS LE PLUS ÉTRANGE CHEZ LUI...
SPAF
RAAAGH
ORYAH !
... C'EST QU'IL SOIT VIVANT.

CES HARICOTS ET CES POMMES DE TERRE SONT DÉLICIEUX !

MAIS TU N'AS PLANTÉ LES GRAINES QU'HIER SOIR !!
ILS ONT POUSSÉ EN UNE NUIT ?!!
PARFAITEMENT !!!
MIOM MIOM MIOM
もぐ もぐ もぐ

5

J'AIME BEAUCOUP LES LÉGUMES ET TOUS LES VÉGÉTAUX EN GÉNÉRAL.
CULTIVER DES PLANTES POUR EN FAIRE DES MÉDICAMENTS...
FAIRE POUSSER DES POMMES DE TERRE EN UNE NUIT...
C'EST PAS-SION-NANT !!!

MON RÊVE EST DE FAIRE POUSSER UNE VIGNE QUI GRIMPERAIT JUSQU'AU CIEL !!
JE VEUX CONTEMPLER LE MONDE D'EN HAUT.
FAN...
BRRR BRRR
ぷるぷる
FANTASTIQUE...!!
KYA!
YAHOo !
JE POURRAI MONTER AVEC TOI, JACK ?
BIEN SÛR !!!
POUR L'INSTANT MA VIGNE FAIT À PEINE MA TAILLE, ALORS JE NE SAIS PAS TROP POUR QUAND ÇA SERA !
DES GAMINS IMMATURES...
STAP
BIEN...
NOUS Y VOILÀ !!

BLA BLA
PAJITOWN!!!
BLA BLA
BLA BLA
C'EST ICI QUE JE VIENS D'ORDINAIRE VENDRE NOTRE PRODUCTION. J'Y ACHÈTE MES HABITS ET NOTRE NOURRITURE.
ON TROUVE PRESQUE TOUT AU MARCHÉ, ET BEAUCOUP DE VOYAGEURS S'Y ARRÊTENT.
CERTAINS COMMERÇANTS VENDENT DES ÄRMS.
C'EST PAR ICI QUE TU DOIS COMMENCER TES RECHERCHES.

WHAOUH !
うぉ！
UNE PEAU D'OURS !
クマ毛皮だ　毛皮だ――っ
QU'EST-CE QUE TU FAIS, GINTA ?!!!
C'EST AU-DESSUS DE TES MOYENS, PETIT.

8

PARDON?
UN "DIMENSION ÄRM" ?!

SI J'AVAIS UN ARTÉFACT D'UNE TELLE VALEUR, JE NE L'EXPOSERAIS SÛREMENT PAS DANS MON ÉTAL ! CE SERAIT BIEN TROP RISQUÉ. ET DE TOUTE FAÇON, JAMAIS JE N'AURAI LES MOYENS DE M'EN PROCURER UN. ADRESSE-TOI À UN MAGASIN SPÉCIALISÉ.
ET OÙ VEUX-TU TE RENDRE COMME ÇA ?
DANS UN AUTRE MONDE !!!
ALORS J'AI QUELQU'UN POUR TOI.
COMMENT ÇA S'EST PASSÉ, JACK ?
IL M'A DONNÉ 500 PYUTAS POUR ME FAIRE EXAMINER PAR UN MÉDECIN.
TU T'ES ENRICHI ! N'EST-CE PAS FORMIDABLE ?!
C'EST UN SENTIMENT MITIGÉ...
BLA BLA
ペラ
UN ÄRM QUI PERMET DE VOYAGER À TRAVERS LE TISSU DIMENSIONNEL ?
BLA BLA
ペラ
MALHEUREUSEMENT, JE N'AI PAS ÇA EN STOCK.
JE PEUX PRENDRE VOTRE COMMANDE, PAR CONTRE.
BLA BLA
ペラ
LA LISTE D'ATTENTE EST DE 4 ANS...
BLA BLA
ペラ
TU NE VOUDRAIS PAS PLUTÔT D'UN ÄRM QUI FAIT DISPARAÎTRE L'ESPACE TEMPORAIREMENT ?!
AVEC ÇA, TU POURRAS VOIR À TRAVERS LE MUR DE TON VOISIN, PAR EXEMPLE.
BLA BLA
ペラ
PAS MAL !!!
LE PROBLÈME, C'EST QUE LE VOISIN AUSSI PEUT TE VOIR. PERSONNE NE VEUT ME L'ACHETER.
BLA BLA
ペラ
SINON, JE TE RECOMMANDE "LE COLLIER AUX 10 DAGUES".
BIEN SÛR, IL NE FAUT PERDRE AUCUNE DES DAGUES.
MAIS REGARDEZ-MOI CE DESIGN...
BLA BLA
ON Y VA, GINTA.

NOUS AVONS CE GENRE D'ARTICLE. ♡
UN "DIMENSION ÄRM" ?
ZAM
LÀ-BAS.

VOUS LES EXPOSEZ DERRIÈRE UNE GRILLE ?!
IL Y A MÊME UN CROCODILE QUI MONTE LA GARDE !!
QUESTION DE SÉCURITÉ.
IL NE S'AGIT PAS TOUT À FAIT D'ÄRMS À 500 PYUTAS, VOIS-TU ?
ON NE LES SORT PAS AVANT QUE LE CLIENT NE NOUS AIT VERSÉ LA SOMME DANS SON INTÉGRALITÉ.

10

200 000...
800 000...
2 000 000 DE PYUTAS ?
ZUM
POUR LA PRÉCISION, JE VENDS MES LÉGUMES 100 PYUTAS PIÈCE.
CE N'EST PAS CE QUE JE CHERCHE.

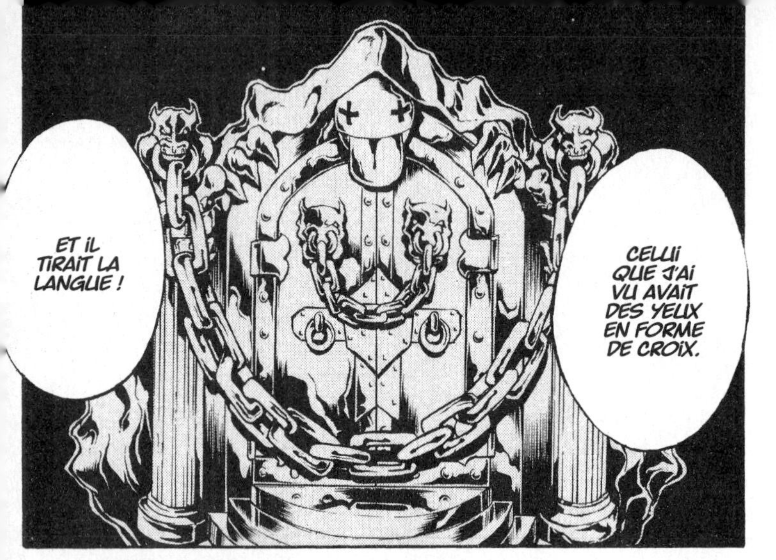
CELUI QUE J'AI VU AVAIT DES YEUX EN FORME DE CROIX.
ET IL TIRAIT LA LANGUE !

PIERROT, LE GARDIEN DES PORTES...!!!
TRÈS RARES SONT CEUX À L'AVOIR VU OU QUI CONNAISSENT SES POUVOIRS.

C'EST L'ÄRM LE PLUS PRÉCIEUX DE SA CATÉGORIE !!!
CE N'EST PAS LE GENRE D'ARTICLE QUI CIRCULE À LA VENTE !!

QUANT À SON POSSESSEUR... JE NE VOIS QU'UN ROI...
... UNE PUISSANTE SORCIÈRE ...
... OU BIEN LE MAITRE ARTISAN QUI L'A FABRIQUÉ.
GINTA...

FWAP
QUELLE CHANCE !!!
12
ON MANGE AVEC DÉLICE ET ENVIE !
C'EST COMME QUAND ON EST TIRAILLÉ PAR LA FAIM.
HEIN ?!
ÇA AURAIT ÉTÉ DOMMAGE DE TROUVER TOUT DE SUITE !!
ON N'APPRÉCIE PAS LES CHOSES QU'ON OBTIENT TROP FACILEMENT.

HORS DE QUESTION QUE ÇA FINISSE TOUT DE SUITE.
JE DOIS RETOURNER LÀ D'OÙ JE VIENS.
MAIS PAS SI FACILEMENT.
MON EXCITATION N'EST PAS ENCORE RETOMBÉE !
LOIN DE LÀ !!!

ET SURTOUT, JE NE PEUX PAS PARTIR SANS AVOIR GRIMPÉ LA VIGNE JUSQU'AU CIEL AVEC TOI !
...

SI JE PUIS ME PERMETTRE ...
... VOUS ÊTES FORT JOLIE, MADEMOISELLE.
VOULEZ-VOUS FAIRE MON ACQUISITION ?

MAIS... QU'EST-CE QUE JE VOIS LÀ-BAS?
DES CAMARADES QUI AFFICHENT UN PRIX EXORBITANT ! ET AVEC QUEL AIR ARROGANT, EN PLUS !
JE SUIS INTRIGUÉ.
COMBIEN SERIEZ-VOUS DISPOSÉE À METTRE POUR M'ACHETER ? GUB !
ARRÊTE TES BÊTISES !!!

TU N'ES QU'UN VIEUX PERVERS !!!
COMME VOTRE ESPRIT EST MAL TOURNÉ !!!
C'ÉTAIT JUSTE POUR CONNAITRE MA VALEUR !!!

C'ÉTAIT BIEN UN ÄRM, N'EST-CE PAS ?
MAIS VIVANT !!!
DIS-MOI QUE JE RÊVE ! IL EST PLUS RARE ENCORE QUE PIERROT, LE GARDIEN DES PORTES...
ÇA N'A PAS DE PRIX, UN ARTEFACT PAREIL.

15

POUR COMBIEN AURAIT-IL ACCEPTÉ QUE JE L'ACHÈTE ?

AUCUNE ERREUR POSSIBLE, C'EST BIEN LUI !
BABBO !!!
100 MILLIONS DE PYUTAS...
DANS LES MAINS DE DEUX GOSSES.
ÇA VA ÊTRE DE LA TARTE.
QUI ÊTES-VOUS ?
QUE VOULEZ-VOUS ?

SBAM
CE QU'ON VEUT ? TU VAS LE SAVOIR TRÈS VITE !
NOUS SOMMES LA BANDE DE STAN LEE, DE LA GUILDE DES VOLEURS !!!

BLONK
GiNTA!!!
JA...
FLAP
MUGUBH!!!
C'EST TERRiBLE...

JE DOIS PRÉVENIR ALVISS...!!

ÉPISODE 11 :
ALVISS

HUNGH...
URF...
FWP
TOUT VA BIEN, JACK ?
À PEU PRÈS...
LES BAFFES DE MA MÈRE FONT PLUS MAL !!

ZUP
EST-CE QUE BABBO EST INDEMNE ?

...

C'EST LA CATA !
IL S'EST ENCORE FAIT ENLEVER !!!

C'EST LUI QUI ÉTAIT VISÉ, C'EST CLAIR !
AU MARCHÉ, ON RENCONTRE PLUTÔT DES PICKPOCKETS... DES VOLEURS AUSSI VIOLENTS NE SE DÉRANGENT PAS POUR VENIR JUSQU'ICI SANS BUT PRÉCIS.
C'EST CLAIR...
... BABBO EST SÛREMENT UN ÄRM DE VALEUR INESTIMABLE !!!

IL FAUT SE METTRE À LA POURSUITE DE CES TYPES !!!
OUI... MAIS COMMENT SAVOIR OÙ ILS SONT PARTIS ?
LES VOLEURS SONT RAPIDES, PAR DÉFINITION...
ZIM ちょい
ZIM ちょい

ATTENDS!!!
まてーこいつぅ～～
HA HA HA
あはは
HU HU
ふふ～
UNE...
UNE FÉE ?!
TU AS VU, JACK ?
LÂCHE-MOI, TU VEUX ?
CHOPF
CE N'EST PAS LE MOMENT DE GAMBADER DANS LES PRÉS, IMBÉCILE HEUREUX !!!
IL FAUT TIRER BABBO DE LEURS GRIFFES !!
LA FÉE SEMBLE VOULOIR NOUS INDIQUER PAR OÙ ILS ONT FILÉ !
ALLONS-Y !
ATTENDS-MOI !
まてーあいつー

5

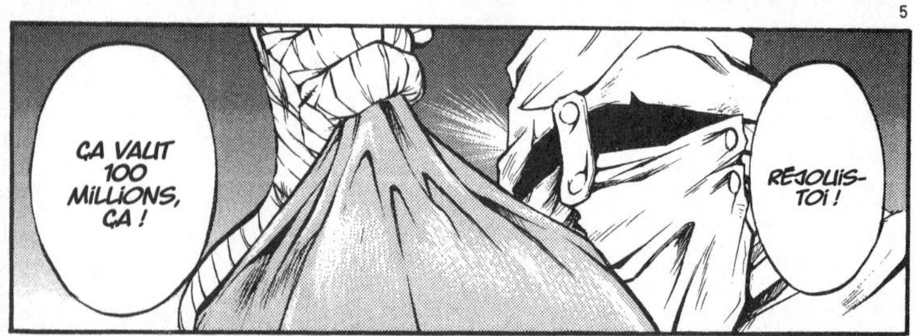

C'EST UNE RÉCOMPENSE EXTRAORDINAIRE ! IL EST SI PRÉCIEUX QUE ÇA, CET ÄRM ?!
TU N'ES PAS CURIEUX DE T'EN SERVIR, TOI ?
ÇA VA PAS, NON ? JE SUIS PRÉOCCUPÉ RIEN QU'À L'IDÉE DE LE TRANSPORTER...
ET TOI, TU VOUDRAIS T'AMUSER AVEC LUI ?
SI JAMAIS SON PRIX DEVAIT BAISSER PARCE QU'IL EST ÉRAFLÉ ...
... JE SERAIS OBLIGÉ DE PRENDRE TA VIE EN COMPENSATION.
JE BLAGUAIS, STAN !
LES VOILÀ !!!
VAM

HUN HUN HUN ...
ILS ÉTAIENT À NOS TROUSSES. JE M'EN DOUTAIS.
HE, VOUS !!
VOUS N'AVEZ PAS VU UNE FÉE, PAR HASARD ?
NON, ABRUTI !!
TU ES VENU RÉCUPÉRER L'ÄRM, PAS VRAI ?
WHA HA HA !!
DESCENDS DONC !!!
ON VEUT BIEN T'ATTENDRE 10 SECONDES !
DASH
ON JOUE LES MALINS ?!

BROOOOM
PLOUF
TU AURAIS SAUTÉ, TOI ?
ÉVI-DEM-MENT QUE NON.
IL EST CLAMSE, NON ?
8
SPLAAASH

OUILLE ! OUILLE !
FWAP
ズキ ズキ
MINCE, C'ÉTAIT MOINS PROFOND QUE JE NE LE CROYAIS !!!
STAP
IMPAYABLE, CE GINTA !!!
BIEN, À MOI MAINTENANT...
JE VAIS FAIRE LE TOUR, RÉFLEXION FAITE.
C'EST PLUS PRUDENT.
TU EN AS DANS LE VENTRE, POUR UN MIOCHE !!!
MAIS C'ÉTAIT UNE GRAVE ERREUR DE PRENDRE AUTANT DE RISQUES !
9
STONK

?!
J'AI PROMIS À BABBO DE LE PROTÉGER !
JE M'EN DOUTAIS.
STAP
J'ÉTAIS TRÈS CURIEUX DE TE RENCONTRER.
VOILÀ POURQUOI NOUS T'AVONS ATTENDU.

JAMAIS ON N'A PROMIS AUTANT D'ARGENT POUR UN ÄRM.
JE VOULAIS EN SAVOIR UN PEU PLUS...
SUR SES POUVOIRS, NOTAMMENT.

C'EST DONC TOI QUI LE POSSÉDAIS...
UN ÄRM!!!
TZING
VOICI "LE COLLIER DE L'ÉPÉE" !!!
WOOP
SELON CE QUE TU VAS M'APPRENDRE, J'EN RÉCLAMERAI PEUT-ÊTRE PLUS QUE 100 MILLIONS. ♡

HE, TOI !!
C'EST LÂCHE D'UTILISER UNE ÉPÉE CONTRE DES NOVICES DÉSARMÉS.
MOI AUSSI, JE VEUX ME SERVIR D'UN ÄRM, RENDS-MOI BABBO !
OH LÀ LÀ, CE QU'IL EST BÊTE !
C'EST POUR LE RÉCUPÉRER QUE TU DOIS TE BATTRE !!
FWOP

GINTA !

C'EST LE MOMENT !!!
PRENDS BABBO !!!
O.K. !!!
DASH
JE NE TE LAISSERAI PAS FAIRE !!!
JE LIBÈRE LES POUVOIRS DE MA LAME !!

13

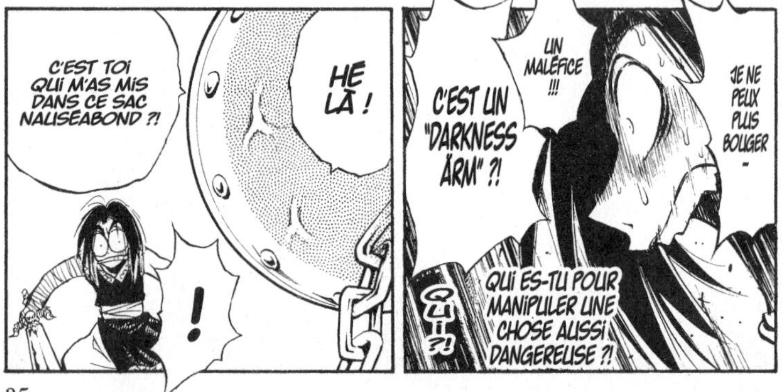
JE NE PEUX PLUS BOUGER ...
UN MALÉFICE !!!
C'EST UN "DARKNESS ÄRM" ?!
QUI ES-TU POUR MANIPULER UNE CHOSE AUSSI DANGEREUSE ?!
QUI ?!
HÉ LÀ !
C'EST TOI QUI M'AS MIS DANS CE SAC NAUSÉABOND ?!
!

IMPUDENT !!!
SERRE LES DENTS, CAR TU VAS SOUFFRIR !!!

ATT...
ATTENDS !
100 MILLIONS !
SBAM
AAAAAAAH!

URGH...
POURQUOI...
LE RESTE DE LA BANDE DEVAIT NOUS ATTENDRE ICI...
... OÙ SONT-ILS...?
BLOM

ILS ÉTAIENT UNE VINGTAINE ...
MAIS ILS NE VIENDRONT PAS.
ALVISS ÉTAIT UN ADVERSAIRE TROP GRAND POUR EUX.
BABBO ! C'EST SUPER DE TE REVOIR !!!
TAP
DEMEURE !!!
QU'EST-CE QUI EST SUPER ?
TAP
L'ODEUR ÉTAIT INFECTE ET...
!!

BELLE AVAIT DIT VRAI !
LE SCEAU DE BABBO A ÉTÉ BRISÉ.

BIENTÔT...
... NOUS ENTRERONS EN CONTACT...

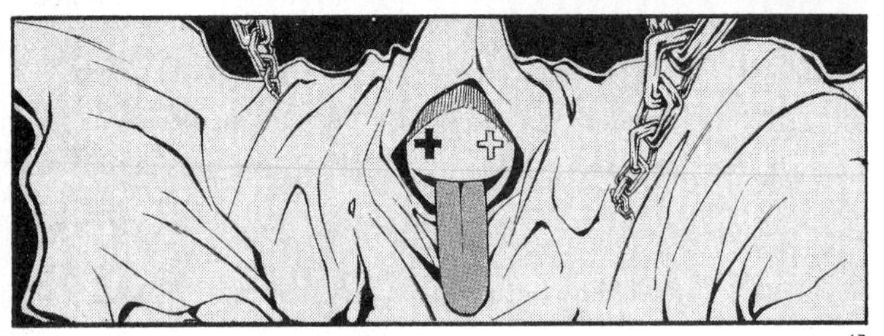

17

CETTE VOIX...
EST-CE QUE PAR HASARD...
... TU SERAIS...

TING
"DARKNESS ÄRM".
LA CAGE D'OISEAU !!

KRUMB
KRUMB
?!
KRUMB
BWOOF
QUOI ?!
TU AS VU JUSTE.
Pii
Pii
Pijji
C'EST MOI QUI T'AI APPELÉ ICI, À MÄR HEAVEN.
...
RAVI DE FAIRE TA CONNAISSANCE.

"MÄR HEAVEN"...
KBAM
C'EST LE NOM DE CE MONDE...?

C'EST DONC TOI QUI M'AS APPELÉ ?
QUELQUE PART, C'EST TOI QUI AS RÉALISÉ MES RÊVES !!

IL FAUT ABSOLUMENT QUE JE TE REMERCIE...

MAIS AVANT ÇA, J'AIMERAIS TE DEMANDER QUELQUE CHOSE.

ÉPISODE 12 : LES PIÈCES DE L'ÉCHIQUIER

POURQUOI AS-TU FAIT ÇA À JACK ?
PI
PI
PI
BROOOOOM
RENDS-LUI SON APPARENCE !!!
BABBO ...!!
TIIING
J'AI PEUT-ÊTRE PERDU MON PARI.

ZWAM
GUARDIAN ÄRM !
"LE COLLIER-TOTEM"
BWOOF
?!
BWOOF
BWOOF
GHIII?
めご
AAAAAAAAAAAAAAH!!
BRAAAM

HUNG...
QUELLE VUE FANTASTIQUE !
TU CROIS QUE C'EST LE MOMENT DE T'ESBAUDIR ?
FWIIISH
GINTA...
SAIS-TU SEULEMENT CE QUE TU AS FAIT ?
SAIS-TU CE QUE REPRÉSENTE CET ÄRM ?!
JE N'EN SAIS RIEN !! JE VIENS À PEINE D'ARRIVER !!!
ET PUIS...
BABBO IGNORE LUI-MÊME TOUT DE SON PASSÉ !
ET FAIS-NOUS DESCENDRE !!

CLAP
OUOOOOOOOOOH !!!
FWiiiiSH
!!
POF
VRAAAM
TU T'EN TIRERAS SANS TROP DE DÉGÂTS.
LA GRAVITÉ EST PLUS FAIBLE ICI QUE DANS TON MONDE, APPAREMMENT.
ET TU AS DÉCUPLÉ TES FORCES LORS DE TON ARRIVÉE ICI.
HUNG !!
ESPÈCE DE FUMIER !
FWAP

ON LE CHÂTIE, GINTA ?
JE TROUVE CET INDIVIDU EXTRÊMEMENT IRRITANT.
IL M'A PEUT-ÊTRE AMENÉ ICI, MAIS IL ME TAPE SUR LES NERFS !!
ET C'EST SÛREMENT ENCORE UN DE CES TYPES QUI CHERCHENT À S'EMPARER DE TOI, BABBO !

FWOOM
DEPUIS QUE TU AS PRIS POSSESSION DE CET ÄRM...
GWOSH

... TU AS AFFRONTÉ BEAUCOUP D'ADVERSAIRES, VOLEURS OU MALFRATS...
COMBIEN, D'APRÈS TOI ?

EH BIEN...
LA BANDE DE MOK...
LES FRÈRES LOUPS-GAROUS...
LE GANG DE STAN LEE...
SEPT !!!

UN SCORE NON NÉGLIGEABLE POUR UN ENFANT, TU NE CROIS PAS ?
!

MAIS POUR ÊTRE HONNÊTE...

... TU AURAIS ÉTÉ EN GRAND DANGER SANS MON AIDE POUR LE DERNIER.

7

TU AS DÉJÀ DU MAL AVEC LES VOLEURS...
... TU FINIRAS TRÈS VRAISEM-BLABLEMENT TUÉ PAR LES PIÈCES DE L'ÉCHIQUIER.

ÉPISODE 12 : LES PIÈCES DE L'ÉCHIQUIER

UNE ORGANISATION APPARUE IL Y A PLUSIEURS ANNÉES, ET QUI TENTA DE S'EMPARER DE MÄR HEAVEN.
S'APPUYANT SUR DES ÄRMS À LA PUISSANCE DÉVASTATRICE, SES MEMBRES FIRENT À L'ÉPOQUE PREUVE D'UNE SAUVAGERIE SANS BORNES.
MAIS DE NOMBREUX MANIEURS D'ÄRMS SE LIGUÈRENT CONTRE EUX ET, AU PRIX DE GRANDS SACRIFICES, ILS PARVINRENT À FAIRE PLIER LA PUISSANCE DE L'ÉCHIQUIER...

"LES PIÈCES...
... DE L'ÉCHIQUIER" ?

... ET À STOPPER LA GUERRE.
ILS AVAIENT EN EFFET RÉUSSI À ABATTRE LA PIÈCE MAÎTRESSE DE CETTE INFÂME ORGANISATION.
SANS TÊTE, LES DERNIERS PARTISANS DE L'ÉCHIQUIER FINIRENT PAR DISPARAÎTRE DANS LES TÉNÈBRES.

MAIS RÉCEMMENT, DES SIGNES INDIQUENT QU'ILS SE SONT À NOUVEAU RASSEMBLÉS !!
FWIIISH

CANDiCE...
TU ES SÉRiEUSE ?

ABSOLUMENT.
J'Ai VU SA SiLHOUETTE DANS LE MiROiR MAGiQUE ! COMMENT AURAiS-JE PU NE PAS LE RECON-NAÎTRE ?
PAS VRAi ? ♡

AUJOURD'HUi...
... NOUS CÉLÉBRONS LA RENAiSSANCE DE L'ÉCHiQUiER !!!

TAMP
GiNTA !!!
LANCE-MOi ! ViTE !!!
MAiS JE CROiS AVOiR DÉJÀ VU CE JEUNE BLANC-BEC QUELQUE PART... SON ODEUR ME DiT QUELQUE CHOSE...
iL SAiT PEUT-ÊTRE QUi JE SUiS ...?!

J'IRAI DROIT AU BUT.
SI JE T'AI FAIT VENIR ICI...
... C'EST POUR QUE TU DÉTRUISES L'ÉCHIQUIER UNE FOIS POUR TOUTES !!!

JE NE COMPRENDS RIEN À TON DÉLIRE !!
HAA
ALORS, POURQUOI TU ME TRAITES COMME ÇA ?

12

HO HO
PARCE QUE TU ES FAIBLE.
SURTOUT POUR UN HABITANT DE L'AUTRE MONDE.
LES ÊTRES HUMAINS QUI VIENNENT DE TON MONDE SE VOIENT OCTROYER DE GRANDS POUVOIRS EN ARRIVANT ICI.
ILS PROGRESSENT SUR LES PLANS VISUEL, AUDITIF, ET SUR CELUI DE LA FORCE PHYSIQUE PURE.
C'EST UNE RÉALITÉ.

PENDANT LA GUERRE, L'HOMME QUI PRIT LA TÊTE DE NOS TROUPES ET QUI DÉFIT LE CHEF ENNEMI...
... VENAIT DE TON MONDE, GINTA.

13

QUELQU'UN EST VENU ICI, AVANT MOI ?
IL ÉTAIT BIEN PLUS FORT QUE TOI.
CEPENDANT...

... IL N'EST PLUS PARMI NOUS.
IL EST MORT AVEC SON ADVERSAIRE DANS L'AFFRONTEMENT FINAL.

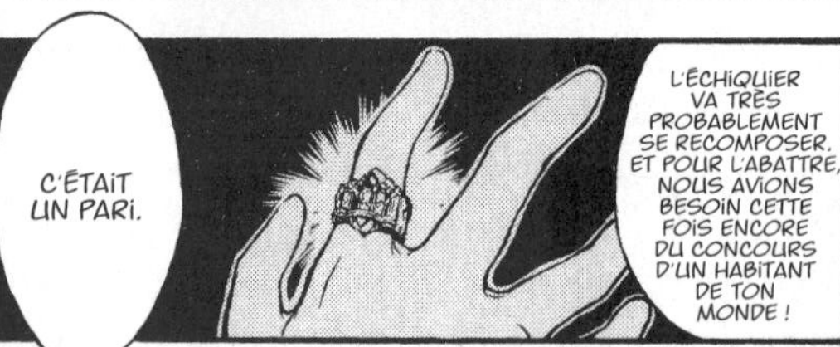
L'ÉCHIQUIER VA TRÈS PROBABLEMENT SE RECOMPOSER. ET POUR L'ABATTRE, NOUS AVIONS BESOIN CETTE FOIS ENCORE DU CONCOURS D'UN HABITANT DE TON MONDE !
C'ÉTAIT UN PARI.

Ç'AURAIT PU ÊTRE UN NOUVEAU-NÉ, PLUS FAIBLE ENCORE QUE TOI.
OU BIEN UN AVENTURIER SANS SCRUPULES QUI SE SERAIT AUSSITÔT ENRÔLÉ DANS LES RANGS DE L'ENNEMI.

C'EST UN ENFANT DE TRÈS PETITE TAILLE QUI NOUS EST VENU.
GRMBL
D'ABORD, IL TRANSFORME JACK ET L'ENFERME DANS UNE CAGE ! ENSUITE, IL SE MOQUE DE MON PHYSIQUE.
L'ENFLURE !!!
IL M'A MIS HORS DE MOI !!!

MAIS TU NOUS ES TRÈS PRÉCIEUX, PUISQUE C'EST TOI QUE PIERROT A CHOISI !
JE DOIS T'APPRENDRE À COMBATTRE ET FAIRE TON ÉDUCATION.
ET, AVANT TOUTE CHOSE, T'INFLIGER UNE PUNITION.

FP ...
CAR TU AS LIBÉRÉ BABBO !
EN RÉALITÉ...

... C'EST L'ÄRM DU FANTÔME !!!

LE FANTÔME A TUÉ TANT DE MES COMPAGNONS AVEC CET ÄRM...
DES DIZAINES ET DES DIZAINES !

BABBO !!!
C'EST LA SEULE CHOSE DONT JE ME SOUVIENNE !!!
PETIT INSOLENT !!!
TU OSES JOUER AVEC LES MOUSTACHES D'UN GENTILHOMME ?!
LA SOLITUDE SIED MIEUX AU GENRE D'HOMME QUE JE SUIS.
BON VENT, GINTA !!!
TU ES AUTORISÉ À M'ACCOMPAGNER...
... EN QUALITÉ DE VALET !!!
CE N'EST PAS VRAI !!
C'EST... C'EST IMPOSSIBLE !!
JE...
JE SUIS UN GENTILHOMME !!!
C'EST LA STRICTE VÉRITÉ.
TU ES...
LA FEEERME !!!

JE NE LE CONNAIS PAS DEPUIS LONGTEMPS...
17
ET LE BABBO QUE JE CONNAIS EST PEUT-ÊTRE UN CRÉTIN VANITEUX...
... UN M'AS-TU-VU PRISONNIER DE SON NUMÉRO PATHÉTIQUE DE GENTIL-HOMME...
MAIS...
... BABBO EST MON AMI !!
TU AS COMPRIS, ORDURE ?!

FWiiiiSH
BONJOUR, FANTÔME ! ♡

BABBO S'EST LEVÉ AVANT TOI.
C'EST DONC À TON TOUR.

CRACK

ÉPISODE 13 : LE PARI

VEUX-TU LE DÉTRUIRE POUR MOI ?
ÉPISODE 13 :
LE PARI
TRÈS BIEN...

KRUMB
KRUMB
KRUMB
JE VOIS QUE LE CHÂTIMENT N'A PAS ÉTÉ ASSEZ SÉVÈRE.

KRUMB
JE VOIS !!!

JE DISTINGUE CLAIREMENT LES FORMES ET LES MOUVEMENTS !
JE PEUX TOUT SUIVRE DU REGARD...!
AVANT, JE NE POUVAIS RIEN VOIR SANS MES LUNETTES !
JE PEUX COMBATTRE !!
DIS, KOYUKI, TU N'AS PAS VU MES LUNETTES, PAR HASARD ?
ホホウ HO HO !
DEPUIS QUAND TU ES CHAUVE ET BARBUE ?
FWWOOOSH
BABBO
PERCUSSIO-ON !!

BABBO!!!
KBAAAM
HUNG!!!
NOUS Y VOILÀ !!!

POMK
VROL
BIEN JOUÉ !!!
BRL
J'AI ENFIN RÉUSSI À LUI INFLIGER UN COUP...
OH LÀ LÀ...
BRL
AH !
PANG

DÉSOLÉ, GINTA !!
PAR-DONNE-MOI ! WAH HA HA !
ON PEUT SAVOIR DANS QUEL CAMP TU ES ?
JE N'Y PEUX RIEN SI JE SUIS AU BOUT D'UNE CHAÎNE !!!
C'EST TOI QUI AVANCES SANS TE SOUCIER DE CE QU'IL SE PASSE DERRIÈRE !!!
7
J'ADMETS QU'IL N'A PAS LA MÊME PERSON-NALITÉ QU'AUTRE-FOIS.
IL A PERDU LA MÉMOIRE, CE N'ÉTAIENT PAS DES MENSONGES ...
MAIS ÇA NE CHANGE RIEN !
C'EST SOUS SES COUPS QUE NOMBRE DE MES COMPAGNONS ONT PÉRI.

TOUT SEUL, BABBO NE PEUT QUE FAIRE DU SUR-PLACE EN SAUTIL-LANT !!
C'EST CELUI QUI LE MANIPULAIT QU'IL FAUT BLÂMER !!
TON ARGUMENT EST VALABLE... MAIS EN APPARENCE SEULE-MENT.

POURRAS-TU TENIR LES MÊMES PROPOS, QUAND LA MÉMOIRE LUI SERA REVENUE ET QU'IL SE SERA RETOURNÉ CONTRE TOI ?
JE M'INQUIÈTE POUR TA VIE, GINTA.

ET MÊME SI BABBO GARDE SA PERSONNALITÉ ACTUELLE...
... TU N'ES PAS TIRÉ D'AFFAIRE POUR AUTANT.

PARCE QUE LE FANTÔME VIENDRA À TOI.

FWIIIISH
IL EST REVENU À LA VIE !!

GLUP
L'ÉCHIQUIER...
... RENAÎT DE SES CENDRES !!!

NOUS VOUS SOUHAITONS UN JOYEUX RÉVEIL !
NOUS DEVONS FÊTER CET ÉVÉNEMENT DIGNEMENT, CE SOIR !

LA REINE NOUS ATTEND AU CHÂTEAU...
... FANTÔME, 1er CAVALIER !!!

TU TE CONTREDIS !!!
TU AS DIT TOUT À L'HEURE QUE LE FANTÔME ÉTAIT MORT !!!

ON NE PEUT PAS LE TUER...
... PUISQU'IL EST DÉJÀ MORT.
C'EST UN MORT-VIVANT.
BRAAAM

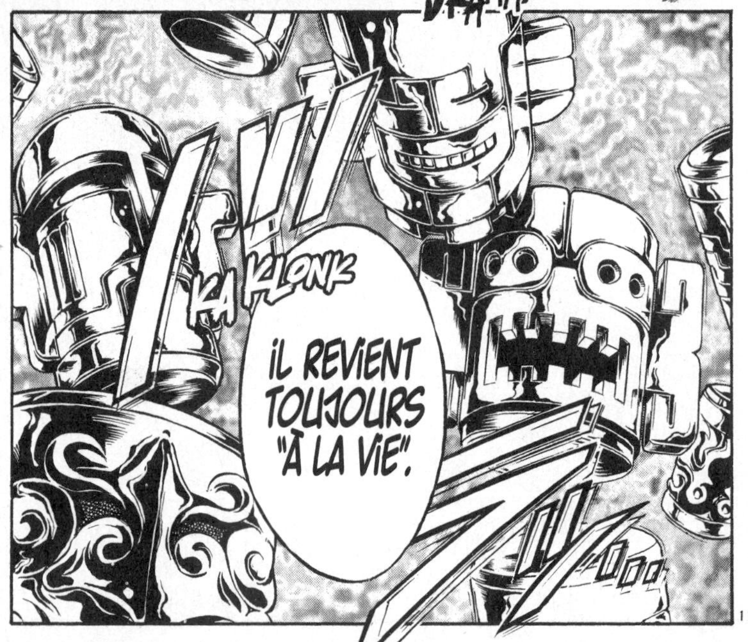
KA KLONK
IL REVIENT TOUJOURS "À LA VIE".

FWOOM
SI BABBO A ROMPU SON SCEAU...
12
KLANK
KLANK
... LE FANTÔME, QUI A ÉTÉ ENFERMÉ DE LA MÊME MANIÈRE...
... BRISERA LE SIEN TÔT OU TARD !!
GINTA...
QUE FERAS-TU, ALORS ?

IL NE TOUCHERA PAS BABBO ...
JE LE PROMETS.
JE NE LE LUI CÉDERAI PAS.
JE T'EN PRIE : NE DÉTRUIS PAS BABBO.

VRL
C'EST...
SBOM
... MON AMI...
LA LUNE EST BELLE.
C'EST PEUT-ÊTRE UNE BONNE NUIT POUR MOURIR.
HOMP
DÉTRUIS-MOI, JE ME LAISSERAI FAIRE !!
MAIS PROMETS-MOI DE NE PAS TOUCHER À UN CHEVEU DE GINTA. SINON, JE REVIENDRAI TE HANTER !!!

Piii
Piii
Piii
iL N'EST PAS MON AMi.
iL EST MON VALET !!

MAIS JE NE LAISSERAI PAS MOURIR MON VALET POUR PRÉSERVER MA PERSONNE !
JE SUiS UN GENTiLHOMME !!!

BROOOOM

ALVISS !!
TU VEUX FAIRE CONFIANCE À CE NABOT ?

TU ES PLUS PETITE QUE LUI, BELLE.
IMAGINE QU'IL REJOIGNE LES RANGS DE L'ÉCHIQUIER !!!
RAISON DE PLUS POUR NE PAS NOUS LE METTRE À DOS INUTILEMENT !!!
NOUS ALLONS CONTINUER DE LES OBSERVER ET, LORSQUE NOUS N'AURONS PLUS LE CHOIX, NOUS DÉTRUIRONS BABBO !
D'ICI LÀ, JE LAISSE GINTA LIBRE DE SES MOUVEMENTS.

LA COTE A AUGMENTÉ.
LE PARI EST TOUJOURS VALABLE.

HMPF
JE NE VEUX PAS QU'ON TE FASSE PORTER LE CHAPEAU, ALVISS.
ET PUIS, JE N'AIME PAS DU TOUT CE SOURIRE SUR TES LÈVRES !!!
GINTA...

TU AS DONC CHOISI DE T'EXPOSER AU DANGER.
POUR MAINTENIR TA PROMESSE, TU N'AS QU'UNE SEULE ET UNIQUE SOLUTION.

17

DEVENIR FORT !!
GINTA...

TU ÉTAIS PITOYABLE. PERDRE FACE À UN ZÉRO DANS SON GENRE.
KLONK
J'AURAIS VOULU QUE TU ME VOIES COMBATTRE APRÈS QUE TU TE SOIS ÉCROULÉ !
KLONK
DÉSORMAIS, N'HÉSITE PLUS !
REMETS-T'EN À MOI !
HA HA HA HA HA HA
HA HA
AGUH

GRRR
TU N'ES PAS TOTALEMENT HONNÊTE, BABBO !
GRRR
J'AI OBSERVÉ TOUTE LA SCÈNE DEPUIS MA CAGE !
ALVISS...
IL A RENONCÉ À DÉTRUIRE BABBO...
JACK...

18

JE NE CROIS PAS QU'IL M'AIT FAIT CONFIANCE...
IL A VOULU ME TESTER.
JE VAIS DEVENIR TRÈS FORT !!!

C'EST POUR TOi !!!

QU'EST-CE QUE C'EST ?!
ANTHOLOGIE DE CONTES DE FÉES !

UN GÂTEAU !!!
JE L'Ai FAiT PENDANT LES TRAVAUX PRATi-QUES.

ÉPISODE 14 : PRINCESSE SNOW
1 LE CHIEN ENDORMI

ON LUI A DONNÉ UN NOM.
"LA SÉRÉNADE DE POSÉIDON, ROI DES MERS" !!!
LA FOURCHETTE, C'EST SON TRIDENT !!

GOÛTE-LE !!! ♡

O.K. !!!

もぐ MIAM
もぐ MIAM

2

QU'EST-CE QU'IL Y A DEDANS ?
C'EST UN GÂTEAU AUX FRUITS DE MER : PIEUVRE, CREVETTES, ETC.
げろげろげろげろ BWEUUURGH

JE FERAI MIEUX LA PROCHAINE FOIS, DÉSOLÉE !!

3

JE NE VOIS PAS CE QUE TU LUI TROUVES, KOYUKI !
QUELLE HONTE !!
IL A VOMI CE QUE TU AS CUISINÉ POUR LUI !!
EH BIEN, GOÛTES-Y, MALI-NE !

HM...
JE SUIS PEUT-ÊTRE LA SEULE À LE VOIR...

MAIS CE GARÇON...

... A TELLEMENT DE CHARME...

HM
M'MAN... J'VEUX PLUS QUE TU ME DONNES DE FESSÉES.
HH
HH
ムニ
ムニ
MH MH
ALLONS, MESDAMES ! JE SAIS QUE VOUS ME DÉSIREZ TOUTES... MAIS JE N'AI QU'UN SEUL CORPS...
FWP
コロ
コロ
FWP

SPLASH

TU DOIS BIEN TE NOURRIR POUR DEVENIR FORT !
SINON, TU SOUFFRIRAS DANS NOTRE MONDE !!

hoCo
Late

5

ÉPISODE 14 : PRINCESSE SNOW

1 LE CHIEN ENDORMI

BADA
BADA BADA
BADA
RAAAGH !!!
COURSE À VITESSE MAXIMALE : 1 HEURE.
BADA BADA
LE 3e JOUR, IL COMMENCE À FATIGUER !!
BRRR BRRR BRRR
GOAAAAW !!!
HH HH
LEVER DE POIDS
ZIP ZIP
NUGHI GHI GHI GHI !!!
POMPES : 5 000.
ZIP
"SI JE T'AI FAIT VENIR ICI...
... C'EST POUR QUE TU DÉTRUISES L'ÉCHIQUIER UNE FOIS POUR TOUTES !!!"
"GINTA...
QUE FERAS-TU ALORS ?"

BADA BADA
JE PIQUE UN AUTRE SPRINT !!!
JACK !!!
IL EST CLAIR QUE NOUS ALLONS DEVOIR AFFRONTER LES MEMBRES DE L'ÉCHIQUIER.
LE DANGER SERA GRAND. JE TE CONSEILLE DE RETOURNER À TA FERME.
GINTA M'A DIT LA MÊME CHOSE, IL Y A QUELQUE TEMPS.
MAIS CE VOYAGE EST UNE OPPORTUNITÉ FORMIDABLE POUR DEVENIR UN HOMME !!
SI JE FUIS DEVANT LA DIFFICULTÉ, JE REDEVIENDRAI CELUI D'AUTREFOIS !!
PLUS JAMAIS, JE NE VEUX ÊTRE LE GARÇON PLAINTIF ET MISÉRABLE QUE J'ÉTAIS !
PAF
ET PUIS SURTOUT...
... JE N'AI PAS ENCORE PAYÉ MA DETTE ENVERS GINTA !!

HUM !
AH ! JEUNE, IMPÉTUEUX, ET TELLEMENT BÊTE...
TU AS PEUT-ÊTRE UNE FACE DE SINGE, MAIS TU AS UN BON FOND, TU SAIS ?

VROL
COMMENT J'ÉTAIS, À L'INSTANT ? ASSEZ DANDY ?
J'AI CHOISI LE BON ANGLE POUR MON VISAGE ?
NE ME TRAITE PLUS JAMAIS DE SINGE !
JACK !!
BABBO !!
LÀ !! UN CHIEN !!!
UN CHIEN AU SOL !!!

10

C'EST BiEN UN CHiEN...
iL RESPiRE ENCORE !
iL EST PEUT-ÊTRE EN TRAiN DE MOURiR DE FAiM ?!
!!
OH, MON DiEU ...!!
QU'Y A-T-iL, BABBO ?
iL EST Si LAiD !
WHA HA HA HA HA !!!
ZUM
CET ANiMAL EST BiZARRE !!!
QUEL EST TON NOM, CHiEN ?!

C'EST À MOI QUE VOUS VOUS ADRESSEZ ?
JE ME NOMME EDWARD !!
STAP
ET VOUS ?! QUI ÊTES-VOUS ?!
WHAOUH !
HEIN ?!!
MAIS IL PARLE, CE CHIEN !! HO HO !!!
DÉSOLÉ, MAIS JE N'AI PAS DE TEMPS À PERDRE EN SOTTISES !!!
AVEC ÇA, ÇA FAIT 2 ! PLUS QU'UNE FOIS !!
SBAM
GNNN...
RIEN À FAIRE. JE N'Y ARRIVE PAS !!
KLING

12

PENDANT QUE JE M'ENLISE DANS MON IMPUISSANCE...
... L'ÉTAU SE RESSERRE INEXORABLEMENT SUR LA PETITE VIE SI FRAGILE DE NOTRE PRINCESSE...!!

"NOTRE PRINCESSE" ?
BERK
GASP

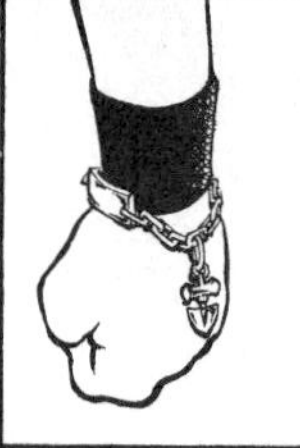

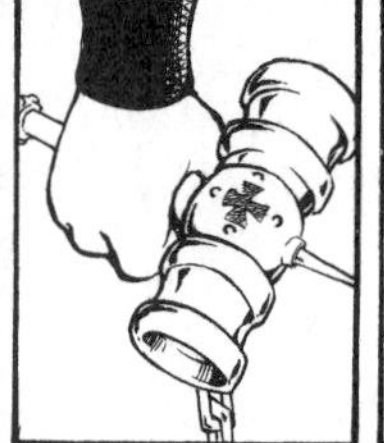

VOUS AUTRES, VOYAGEURS...
ÊTES-VOUS DES MANIEURS D'ÄRMS ?

FWIIIISH
ヒュウゥ ウウ...

FWIIISH
QU'EST-CE QUE C'EST ?!
UN CHÂTEAU DE GLACE ?!
POURQUOI NEIGE-T-IL PAR ICI ?
BRRR BRRR
BRRR
C'EST LE POUVOIR DE L'ÄRM DE NOTRE PRINCESSE.
ELLE S'EST RÉFUGIÉE SOUS CETTE BARRIÈRE DE GLACE ET DE NEIGE.

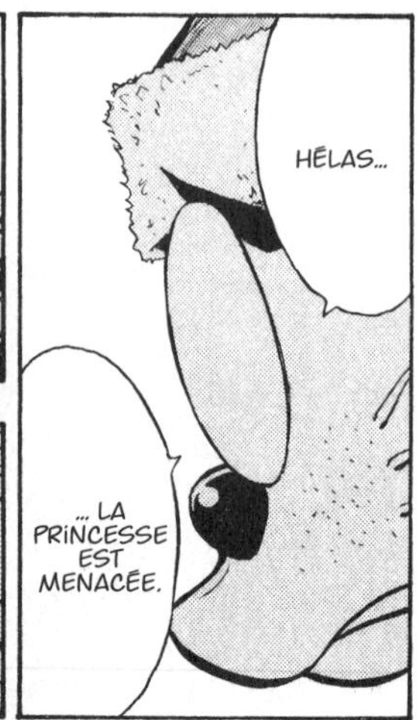
HÉLAS...
... LA PRINCESSE EST MENACÉE.

ELLE A VU LE JOUR DANS UNE TERRE LOINTAINE.
NÉE DE L'UNION LÉGITIME DU ROI ET DE LA REINE.
BERCÉE D'AMOUR DEPUIS L'ENFANCE, ELLE MENAIT UNE VIE HEUREUSE EN SON ROYAU-ME.

MAIS UN JOUR, LA REINE MOURUT ...
ET LA NOUVELLE ÉPOUSE DU ROI SE RÉVÉLA BIEN VITE UNE FEMME TERRIBLE !!!

APPORTEZ-MOI LES METS LES PLUS FINS !
ENCORE ! TOUJOURS PLUS !

APPORTEZ-MOI LES ÉTOFFES ET LES JOYAUX LES PLUS PRÉCIEUX !
ENCORE ! TOUJOURS PLUS !

APPORTEZ-MOI LES ARMS DOTÉS DES PLUS GRANDS POUVOIRS MAGIQUES !!
ENCORE ! TOUJOURS PLUS !

JE VEUX... MÄR HEAVEN !

PUIS, LE ROI SUCCOMBA À SON TOUR, EMPORTÉ PAR UN MAL INCONNU...
... ET LA NOUVELLE REINE FUT LIBRE DE CUMULER TOUS LES POUVOIRS ENTRE SES MAINS AVIDES.
ELLE LEVA UNE GARDE ROYALE, CONSTITUÉE D'INDIVIDUS SURGIS DE NULLE PART ET, BIEN VITE...
... ON LES VIT ÉLIMINER POUR SON COMPTE TOUS LES GÊNEURS, UN PAR UN.

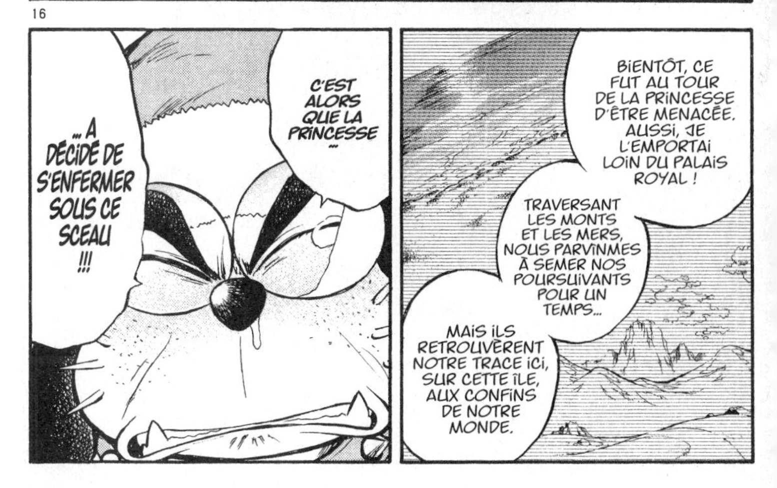
BIENTÔT, CE FUT AU TOUR DE LA PRINCESSE D'ÊTRE MENACÉE. AUSSI, JE L'EMPORTAI LOIN DU PALAIS ROYAL !
TRAVERSANT LES MONTS ET LES MERS, NOUS PARVÎNMES À SEMER NOS POURSUIVANTS POUR UN TEMPS...
MAIS ILS RETROUVÈRENT NOTRE TRACE ICI, SUR CETTE ÎLE, AUX CONFINS DE NOTRE MONDE.
C'EST ALORS QUE LA PRINCESSE ...
... A DÉCIDÉ DE S'ENFERMER SOUS CE SCEAU !!!

MAIS SI NOS POURSUIVANTS PÉNÈTRENT DANS LE CHÂTEAU AVEC UN ÄRM CAPABLE DE BRISER LE SCEAU MAGIQUE ...
... ELLE SERA LIGOTÉE ET TRAÎNÉE DEVANT LA REINE.
FWIIISH
DE PLUS, SI L'ON TARDE TROP À LA LIBÉRER, L'ÄRM DONT ELLE S'EST SERVIE RISQUE DE LUI ÔTER LA VIE...
PAF
PAF
ZAM
ON S'EN CHARGE !!!

EN AVANT !! AU CHÂTEAU DE GLACE, POUR SAUVER LA PRINCESSE !!
J'AI LE COEUR QUI BAT À TOUTE VITESSE !!

QUELQU'UN...
... A PÉNÉTRÉ DANS LE CHÂTEAU...

C'EST LE CHIEN ?
IL N'A PAS EU LE TEMPS MATÉRIEL D'ALLER CHERCHER DU RENFORT, POURTANT.
JE SENS UNE AURA MAGIQUE TRÈS PUISSANTE.
ILS SONT DEUX. IL Y EN A D'AUTRES, MAIS ILS SONT INSIGNIFIANTS.

JUSTE LE TEMPS POUR QUE HALLOWEEN NOUS APPORTE L'ÄRM DE FEU.
ON NE VA PAS S'ENNUYER !!!

ÉPISODE 15 :
PRINCESSE SNOW 2 PRISONNIÈRE DES GLACES

ÉPISODE 15 :
PRINCESSE SNOW
2 PRISONNIÈRE DES GLACES

IL N'Y A PAS ÂME QUI VIVE !
PERSONNE N'HABITE CE CHÂTEAU ?
NON.
NOUS NOUS SOMMES CACHÉS ICI QUELQUE TEMPS SANS CROISER PERSONNE.
SCRIKE
SCRIKE
MON-TONS À L'ÉTAGE !!!
AU MOINS, NOUS Y SERONS À L'ABRI D'UNE ATTAQUE FRONTALE, S'ILS DÉBARQUENT ICI !
OÙ EST-ELLE CACHÉE ?
FWIIIISH
DIS, EDO...
QUEL GENRE DE PERSONNE EST TA PRINCESSE ?

DOUCE, GÉNÉ-REUSE...
UNE ENFANT AU COEUR PUR.

PRINCESSE !!!
OUVREZ CETTE PORTE !!
BAM
BAM
LAISSEZ-MOI RESTER POUR VOUS DÉFENDRE !!!
NE FAITES PAS D'EDWARD, VOTRE SERVITEUR, UN LÂCHE !!!

IL NE S'AGIT PAS DE ÇA, EDO !!
J'ATTEN-DRAI ICI...

J'ATTENDRAI ICI...
... EDO...
... JUSQU'À CE QUE TU RAMÈNES QUELQU'UN POUR ME SAUVER !!

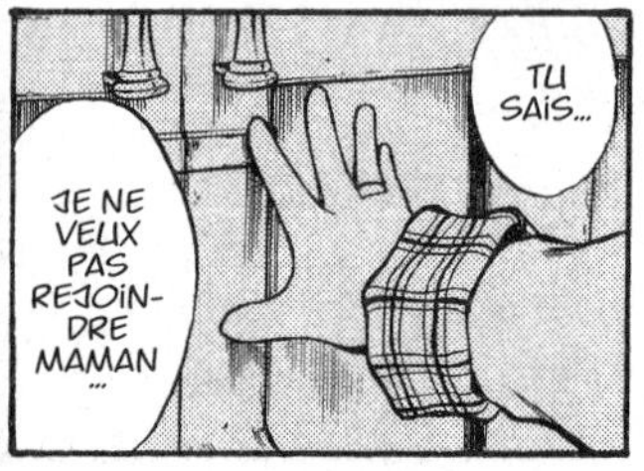
TU SAIS...
JE NE VEUX PAS REJOIN-DRE MAMAN ...

CRIIICK
J'ATTENDRAI...
EDO...
FUIS AVANT QUE LES ASSAILLANTS NE S'INFILTRENT ICI !
CRIIICK
C'EST UN ORDRE !!!
PRINCEEESSE !!!
JE SERAI VITE DE RETOUR, AVEC DU RENFORT !!!
6
ELLE CHERCHAIT À ME PROTÉGER EN DISANT CELA.
ÇA ME FEND LE COEUR.
J'AI FAILLI À MON DEVOIR. JE N'AI PAS ÉTÉ CAPABLE DE LA PROTÉGER.

AU COURS DE NOTRE PÉRIPLE, ELLE A PARTAGÉ TOUTES SES VIVRES AVEC MOI.

QUAND JE SUIS TOMBÉ MALADE, ELLE A VEILLÉ SUR MOI SANS DORMIR...
HA HA...

ON SE DEMANDE QUI EST LE VASSAL DE QUI...
EDO !!!

NE TE LAISSE PAS ABAT-TRE !
TOMP
TOMP
MAIS YEUH !!!

POUR MOI C'EST ÉVIDENT ...
LA PRINCESSE N'EST PAS VENUE ICI POUR SE PRÉPARER À MOURIR !
ELLE CROIT VRAIMENT EN TOI !!

7

ET NOUS ALLONS LUI DONNER RAISON !!!
PARCE QU'ON VA LA SAUVER COÛTE QUE COÛTE !!

LE TEMPS JOUAIT CONTRE MOI, CERTES...
EUH... OUI !
MAIS SI ON Y RÉFLÉCHIT SÉRIEUSEMENT...
... J'AI ÉTÉ VRAIMENT FOU DE M'EN REMETTRE À DES ENFANTS ! POURTANT, ALLEZ SAVOIR POURQUOI...
... CE GOSSE M'EMPLIT DE RÉCONFORT.
BADA
EN LE VOYANT, UNE PETITE VOIX AU FOND DE MOI ME DIT: "ÇA POURRAIT BIEN ÊTRE LUI, LA SOLUTION..."
C'EST PARTI !!!
BADA

EST-CE "L'AUTRE" EN MOI...

... QUI ME LE FAIT PENSER ?

8

ZIIP
BOMK

IL SAIGNE DU TYMPAN...
AVEC UN PEU DE BAVE, L'HÉMORRAGIE SERA STOPPÉE.
JE CROIS QUE LA PETITE VOIX DISAIT N'IMPORTE QUOI !

iL FAIT PLUTÔT SOMBRE, iCi !!
ET FROiD !!
GLA
GLA
GLA
!
SNiF
TU LA PERÇOiS, EDO ?
OUi !
UNE ODEUR HUMAINE ...!!
CE N'EST PAS CELLE D'UN SiMPLE ÊTRE HUMAiN !!
JE SENS UNE TRÈS FORTE SOURCE DE MAGIE RAYONNER !!!
!
GiNTA !!!
PAS UN GESTE !!!
9

HM ?
OOOOOOOOOOOH ?!!!
GINTA !!!
DOROTHY !! C'EST TOI, DOROTHY !!!
OUiiiiiii !! COMME ON SE RETROUVE !!! ♡

KYA ! INCROYABLE !
VOUS ÊTES AMIS ?
QU'ELLE EST BELLE !
キャ ヤダー
ENCORE ELLE !!
CETTE DRÔLESSE CAQUETANTE ET MALAPPRISE !!!
ゴゴゴゴ…

JE COMPRENDS MIEUX ...
... POURQUOI LA NEIGE TOMBE HORS SAISON ICI...

SI VOUS ÊTES VENUS POUR LA SAUVER, JE VOUS CONSEILLE DE VOUS ACTIVER.
MÊME LES EXPERTS EN SORT DE CONGÉLATION NE PEUVENT FAIRE FONCTIONNER LEUR COEUR PLUS D'UNE DEMI-JOURNÉE DANS DE TELLES CONDITIONS.
J'IMAGINE QU'ELLE DOIT ÊTRE COMPLÈTEMENT GELÉE ELLE-MÊME. DÉPÊCHEZ-VOUS !
GARCE ! NE FEINS PAS LA COMPASSION ! TU NE TROMPES PERSONNE !!!
EXACT, HORREUR MOUSTACHUE !
JE SUIS VENUE ICI À LA RECHERCHE D'ÄRMS.
GRRR

COMPLÈTEMENT GELÉE ...
UNE DEMI-JOURNÉE.
BABBO, JACK !! ON Y VA !!
ON N'A PLUS DE TEMPS !!

ON SE RETROUVE PLUS TARD, DOROTHY !!
C'EST ÇA, DISPARAIS. ET VITE !

BON COURAGE ! ♡
ピコ ピコ
FWAP FWAP

MAINTENANT...
... À NOUS...

SORTEZ...
... LES 9 !!

JE VOUS AI ATTIRÉS ICI ...
... EN DIFFUSANT MA MAGIE.
IL RESTE LES 2 "PIÈCES" LÀ-HAUT...

C'EST RARE QUE J'AIDE LES GENS. TU PEUX ME DIRE MERCI, GINTA... ♡
VOUS ÊTES MAL TOMBÉS, VOUS AUTRES !

13

C'EST ICI !!
STAP
14
BLAM
ALORS, ÇA Y EST...?
LES PORTES SONT ENTROUVERTES !
FONÇONS !!!

ÇA NE FAIT QUE COMMENCER !!!

15

...TIENS...
C'EST ÉTRANGE...
POURQUOI LE VISAGE DE KOYUKI ME REVIENT-IL À L'ESPRIT, MAINTENANT...?

COMMENT...
...EST-CE POSSIBLE ?!!

KOYUKI ?!!!

MAIS CE SONT DES ENFANTS ?!
REGARDE MIEUX...
ILS ONT QUELQUE CHOSE D'INTÉRES-SANT AVEC EUX.
WOM

SELON LES INFORMATIONS DE PETA, IL SE TROUVAIT SUR CETTE ÎLE.
JE PENSAIS LE CHERCHER APRÈS NOTRE MISSION.

18

MAIS LE VOILÀ QUI VIENT À NOUS.

UN AUTRE ÊTRE HUMAIN DOTÉ D'IMMENSES POUVOIRS MAGIQUES...
... VIENT À PEINE DE PÉNÉTRER DANS LE CHÂTEAU.

J'AI L'IMPRESSION QU'IL VA SE PASSER QUELQUE CHOSE D'INTÉRESSANT...
MAIS C'EST ICI QUE S'ARRÊTE MON AIDE.
ACCROCHE-TOI, GINTA !

JE DOIS RETOURNER À MES OCCUPATIONS !!!
HU HU HU !!! ♡

ÉPISODE 16 : PRINCESSE SNOW 3 PREMIER CONTACT

ÉPISODE 16 :
PRINCESSE SNOW
3 PREMIER CONTACT

KO...
KOYUKIIII!!!

DASH
NON, MAÎTRE GINTA !! IL NE FAUT PAS !!
VOUS ÊTES SANS ARMES !
AH !!!

4

KLIK
KLIK
ZWOOOSH

CHAF
CHAF
BROLOM
BROM
GINTA!!!
QUOI?
5

INTERDICTION DE S'APPROCHER.

QUE VEULENT-ILS, CEUX-LÀ ?!
ILS SONT APPARUS EN PLEIN DANS LE CHEMIN, TOUT À COUP !
ILS ÉTAIENT SÛREMENT DÉJÀ LÀ QUAND ON EST ENTRÉS, ENFIN !
OUVRE LES YEUX, GINTA !!
CALMEZ-VOUS MAÎTRE GINTA !!!
VOUS VOUS ÊTES TROMPÉ DE PERSONNE, DANS VOTRE EXCITATION !
CE N'EST PAS VOTRE "KOYUKI" !!

6

C'EST LE SYMBOLE MÊME DE MÄR HEAVEN, L'HÉRITIÈRE LÉGITIME DU TRÔNE DE LESTOWER.
LA PRINCESSE SNOW !!

IL NE S'AGIT PAS DE KOYUKI !!

... J'AI ENCORE PLUS ENVIE DE LA SAUVER !!!
TOMP
EDO !! EST-CE QU'ON PEUT FAIRE FONDRE LA GLACE ?!
OUI !!!
JE GARDE SUR MOI UN ÄRM DE FEU, AU CAS OÙ !
SI ON NOUS LAISSE L'UTILISER ...
AUTREMENT DIT : SI JE NOUS DÉBARRASSE DE CES GÊNEURS.
CES BRUTES S'EN PRENNENT AUX FRÊLES PRINCESSES !!
LE GENTILHOMME QUE JE SUIS NE PEUT PAS LAISSER CELA IMPUNI !

FFFF

TU ENTENDS ? NOUS, DES BRUTES ?
CET ÄRM N'A PAS DU TOUT LE CARACTÈRE QU'ON NOUS A DÉCRIT...
IL ÉTAIT COMME ÇA, AVANT ?

SA PER-SON-NALITÉ A ÉTÉ CHAN-GÉE.
À MOINS QU'ELLE N'AIT ÉTÉ EFFACÉE.

TZAM
QUOI QU'IL EN SOIT, ON VA POUVOIR S'AMUSER UN PEU, KORO CHAN.

JE N'AI FAIT QUE ME SAOULER PENDANT LES CÉLÉBRATIONS DE CES DERNIERS JOURS.
J'AI BESOIN DE ME DÉPENSER UN PEU.
MOI, JE NE M'EN MÊLE PAS.
ET JE N'AI PAS BU, JE TE RAPPELLE.
...
ET PUIS ARRÊTE DE ME COLLER LE SUFFIXE "CHAN" ! JE SUIS PLUS ÂGÉE QUE TOI.
ÉCOUTE NABOT...
JE VOUS PRENDS UN PAR UN, O.K. ?!
C'EST LA RÈGLE DE TOUT DUEL.
ÇA NE CHANGE PAS GRAND CHOSE POUR MOI.
MAIS SI ÇA VOUS POSE UN PROBLÈME, VENEZ TOUS ENSEMBLE.

iL NOUS PROVOQUE ! NE TOMBE PAS DANS SON PiÈGE, GiNTA !!
TOUT À FAiT.
iL N'Y A AUCUNE RAiSON D'AVOiR HONTE.

11

JE RELÈVE LE DÉFi.

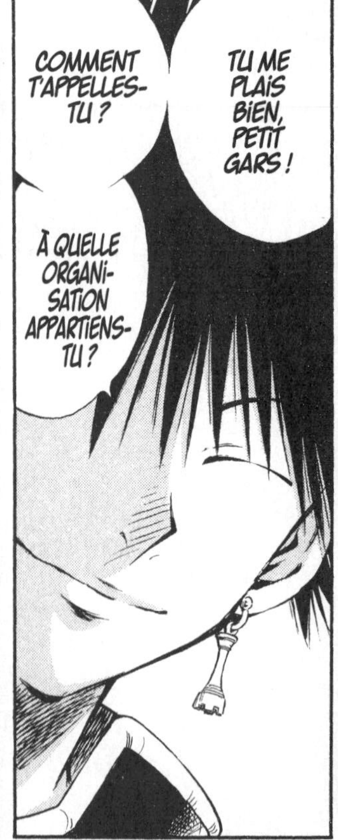
TU ME PLAiS BiEN, PETiT GARS !
COMMENT T'APPELLES-TU ?
À QUELLE ORGANI-SATION APPARTIENS-TU ?

DASH
JE SUIS GINTA !!!
DU COLLÈGE FUROWA ! 3e CLASSE DE 2e ANNÉE !!!
MOI...
... JE M'APPELLE YAN.
J'APPARTIENS À "L'ÉCHIQUIER".

UNE ORGANISATION APPARUE IL Y A PLUSIEURS ANNÉES...

... QUI TENTA DE S'EMPARER DE MÄR HEAVEN.
S'APPUYANT SUR DES ÄRMS À LA PUISSANCE DÉVASTATRICE, SES MEMBRES FIRENT À L'ÉPOQUE PREUVE D'UNE SAUVAGERIE SANS BORNES.

L'ÉCHIQUIER.

TU AS DÉJÀ DU MAL AVEC LES VOLEURS...
... TU FINIRAS TRÈS VRAISEMBLABLEMENT TUÉ PAR LES PIÈCES DE L'ÉCHIQUIER.

HUNG...

ILS SONT ...
... DE L'ÉCHIQUIER ?!

LE JEUNE HOMME NOUS EN A PARLÉ...!
ILS SE SONT DISPERSÉS APRÈS LA DÉFAITE...
MAIS ILS ONT COMMENCÉ À SE RASSEMBLER À NOUVEAU CES TEMPS-CI...

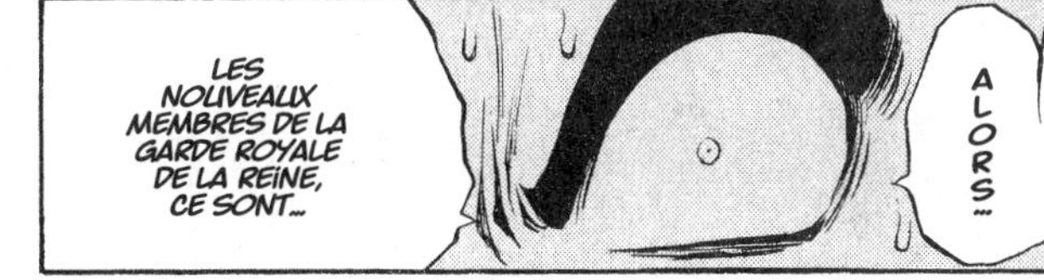
ATTENDS !!!
ALORS...
LES NOUVEAUX MEMBRES DE LA GARDE ROYALE DE LA REINE, CE SONT...

... LES PIÈCES DE L'ÉCHIQUIER !!!

ET LE CHÂTEAU DE LESTOWER EST LEUR CITADELLE !

GWAAAAAAARGH!!!
KRRRSH
JE N'AI RIEN VU!!!
15

IL CACHE DES ÄRMS DANS SES MANCHES, C'EST ÉVIDENT !!
DES WEAPON ÄRMS.
MAIS QUEL TYPE D'ARTEFACT ?
AUCUN MOYEN DE PRÉVOIR CE QU'IL VA ME FAIRE !!
16
CET ÄRM APPARTIENT AU FANTÔME.
CE N'EST PAS UN JOUET POUR ENFANTS.
FWHHH
PIÈCE DE L'ÉCHIQUIER
YAN
RANG
TOUR

!

JE SENS UNE SOURCE DE MAGIE...

ま OH!
ET PUIS ZUT...
ÇA NE ME REGARDE PAS.

ON ARRIVE À TEMPS ! LES MEMBRES DE L'ÉCHIQUIER !! LA SITUATION EST GRAVE !!
IL FAUT DÉTRUIRE BABBO !!!
QU'EST-CE QUE TU FAIS ?!

J'EMPORTE LA PRINCESSE. ELLE TRÔNERA DÉSORMAIS À MES CÔTÉS !!
GINTA!!!
AIDE-MOI !!!
PAFF
くす…
ATTENDS UN PEU !!
JE VAIS TE SAUVER !!!

!

ÉPISODE 17 : PRINCESSE SNOW 4 DÉCLARATION DE GUERRE
C'EST PARTI !!!
BABBO !!!
HMPF
FWOOM
HYA HA
TOP
!

GUO-?!
QUELLE INSOLENCE !!!
TU MARCHES SUR LA TÊTE D'UN HOMME RESPECTABLE !!!
KA KLONK

AAARGH !!!
STAP
KRRRRSH
GINTAAA !!!
HUNG...
MAIS... QUELLE DRÔLE DE MANIÈRE DE MANIPULER BABBO ?!

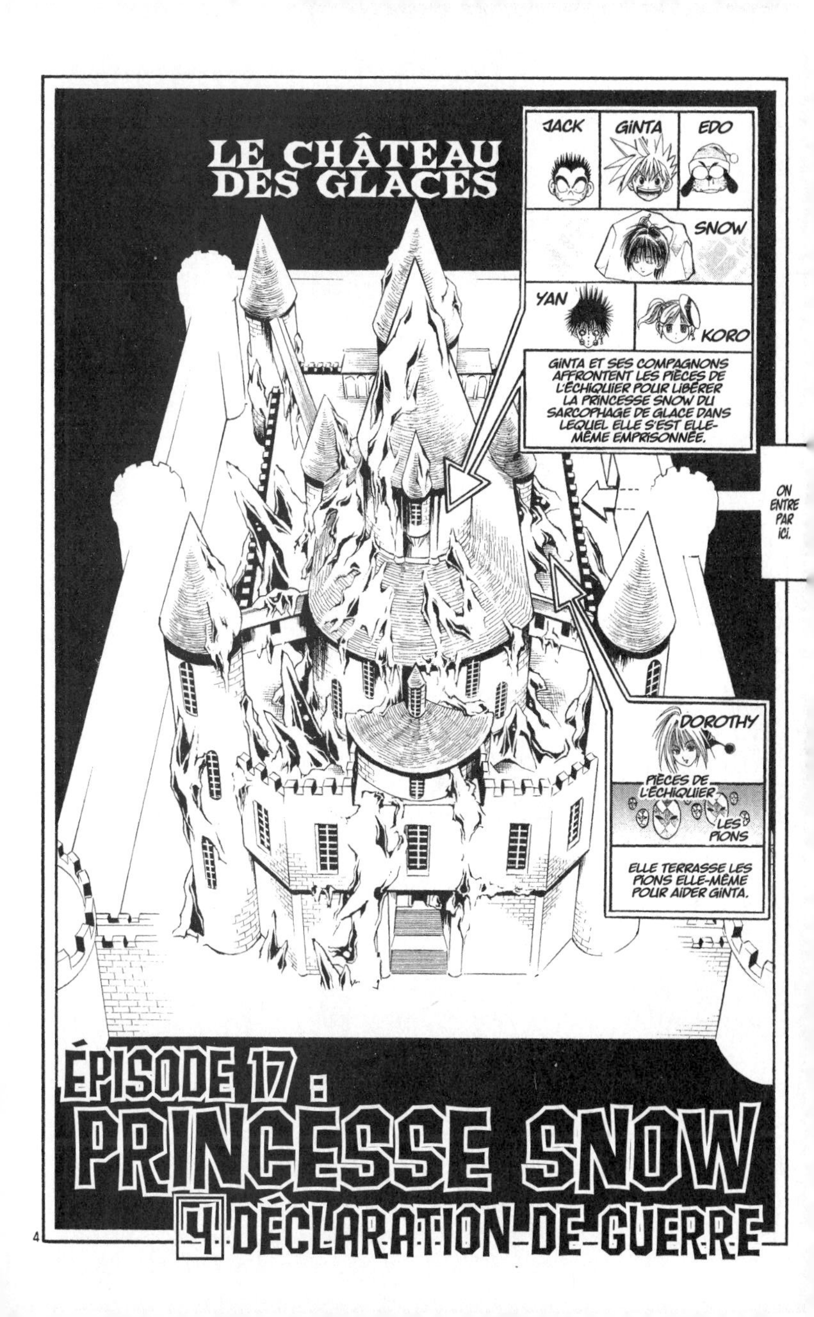
LE CHÂTEAU DES GLACES
JACK
GINTA
EDO
SNOW
YAN
KORO
GINTA ET SES COMPAGNONS AFFRONTENT LES PIÈCES DE L'ÉCHIQUIER POUR LIBÉRER LA PRINCESSE SNOW DU SARCOPHAGE DE GLACE DANS LEQUEL ELLE S'EST ELLE-MÊME EMPRISONNÉE.
ON ENTRE PAR ICI.
DOROTHY
PIÈCES DE L'ÉCHIQUIER
LES PIONS
ELLE TERRASSE LES PIONS ELLE-MÊME POUR AIDER GINTA.
ÉPISODE 17 :
PRINCESSE SNOW
4 DÉCLARATION DE GUERRE

UNE "DRÔLE DE MANIÈRE"...
... DE MANIPULER BABBO" ?!

TU NE SAIS PAS LUI FAIRE CHANGER DE FORME ?
CE QUE TU FAIS, C'EST À LA PORTÉE DU PREMIER VENU.
VRAIMENT, LE FANTÔME EST LE SEUL À SAVOIR EXPLOITER LES POUVOIRS DE BABBO.

"LUI FAIRE CHANGER DE FORME" ?

MOI ?
ELLE PARLE DE MOI ?

C'EST IMPOSSIBLE.
GINTA MANQUE CRUELLEMENT DE CONNAISSANCES ET D'EXPÉRIENCE.
ET PUIS, IL N'A PAS "LA CLÉ" !

5

POUR ACTIVER LES POUVOIRS DE BABBO, IL FAUT UNE CLÉ.
LES PIERRES MAGIQUES !!!
ELLES ONT TOUTES ÉTÉ ÔTÉES DU MARTEAU !

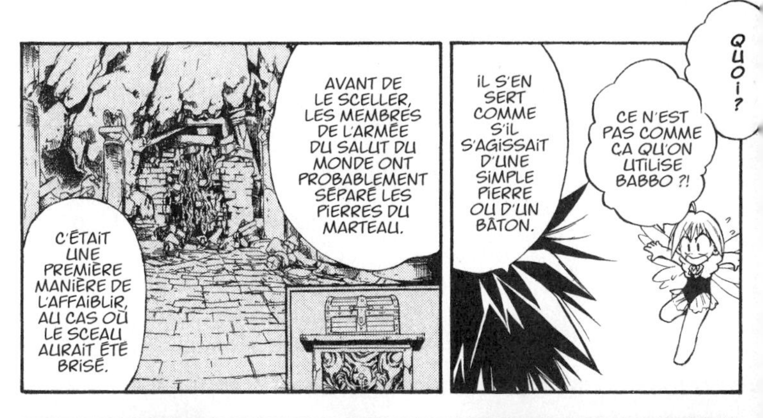
QUOI ?
CE N'EST PAS COMME ÇA QU'ON UTILISE BABBO ?!
IL S'EN SERT COMME S'IL S'AGISSAIT D'UNE SIMPLE PIERRE OU D'UN BÂTON.
AVANT DE LE SCELLER, LES MEMBRES DE L'ARMÉE DU SALUT DU MONDE ONT PROBABLEMENT SÉPARÉ LES PIERRES DU MARTEAU.
C'ÉTAIT UNE PREMIÈRE MANIÈRE DE L'AFFAIBLIR, AU CAS OÙ LE SCEAU AURAIT ÉTÉ BRISÉ.

CE SONT DES TOURS !!
CE N'EST PAS UN GRADE TRÈS ÉLEVÉ, MAIS ILS ONT LE DROIT DE PORTER DES BOUCLES D'OREILLE !
DE TOUTE FAÇON, CE SONT DES ADVERSAIRES ENCORE BIEN TROP REDOUTABLES POUR GINTA.

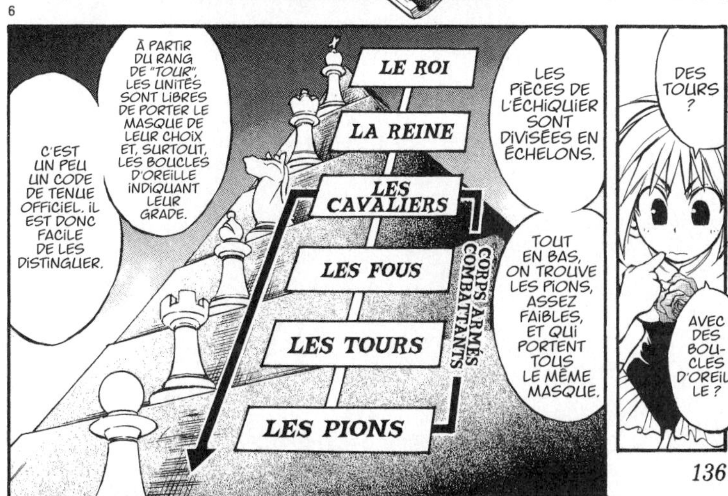
DES TOURS ?
AVEC DES BOUCLES D'OREILLE ?
LES PIÈCES DE L'ÉCHIQUIER SONT DIVISÉES EN ÉCHELONS.
TOUT EN BAS, ON TROUVE LES PIONS, ASSEZ FAIBLES, ET QUI PORTENT TOUS LE MÊME MASQUE.
LE ROI
LA REINE
LES CAVALIERS
LES FOUS
LES TOURS
LES PIONS
CORPS ARMÉS COMBATTANTS
À PARTIR DU RANG DE "TOUR", LES UNITÉS SONT LIBRES DE PORTER LE MASQUE DE LEUR CHOIX ET, SURTOUT, LES BOUCLES D'OREILLE INDIQUANT LEUR GRADE.
C'EST UN PEU UN CODE DE TENUE OFFICIEL. IL EST DONC FACILE DE LES DISTINGUER.

RAISON DE PLUS POUR AGIR !!!
VOLE AU SECOURS DE BABBO OU BIEN ANÉANTIS-LE !
DÉCIDE-TOI, JE T'EN PRIE !

TU ES FAIBLE !
TU ME DÉÇOIS ÉNORMÉMENT.
JE SAIS BIEN QUE CET ÄRM N'EST PAS À TOI, MAIS TU T'EN SERS COMME UN VRAI DÉBUTANT.

7

ET QU'EST-CE QU'ON A, LÀ ? UN BRAVE MANIEUR DE PELLE...
... UN CHIEN...

JE SENS AUSSI LA PRÉSENCE DE MAGICIENS, MAIS EUX NE SE MONTRENT PAS...
VOUS AVEZ VRAIMENT L'INTENTION DE SAUVER LA PRINCESSE ?

VOUS ALLEZ MORFLER.

PUNCH
POMK
URGH..
VRLLL
グラ...

IMBÉCILE !!!
DÉPÊCHE-TOI DE ME LANCER !!!
TU APPARTIENS AU FANTÔME.
JE T'AMÈNERAI BIENTÔT À TON MAÎTRE. PATIENTE UN PEU !!!
D'ICI LÀ, TAIS-TOI !
L'ÉCHIQUIER...
C'EST COMME ÇA QUE VOUS VOUS FAITES APPELER, N'EST-CE PAS ?
VOUS AVEZ SEMÉ LA DÉSOLATION ET LA MORT DANS CE MONDE, IL Y A QUELQUES ANNÉES, JE ME TROMPE ?
POURQUOI VOULOIR DÉVASTER...
... UN MONDE SI BEAU ET SI PLAISANT...?
DANS QUEL BUT ?

VA SAVOIR...
JE NE FAISAIS PAS ENCORE PARTIE DE L'ÉCHIQUIER, PENDANT LA GUERRE. JE N'EN SAIS TROP RIEN.
TU PEUX NOUS DIRE QUELQUE CHOSE LÀ DESSUS, KORO CHAN ?
ポリポリ
GRAT GRAT
L'ÉCHIQUIER EST UN RASSEMBLEMENT PLUTÔT HÉTÉROCLITE...
... DE GENS QUI SONT LÀ POUR TOUTES SORTES DE RAISONS.
CERTAINS AIMENT TOUT SIMPLEMENT ABUSER DE LA VIOLENCE...
D'AUTRES SONT À LA RECHERCHE D'ÄRMS OU DE FEMMES.

LA REINE A ÉTÉ TRÈS CLAIRE.
ELLE VEUT TOUT POSSÉDER...

10

SES HORDES VOLENT LES ÄRMS ET ÉLIMINENT TOUS CEUX QUI SE DRESSENT DEVANT ELLE.
C
L'ÉCHIQUIER A TROUVÉ UN INTÉRÊT COMMUN TANT AU NIVEAU DES FINALITÉS QUE DES MÉTHODES.

ET VOUS VOULEZ VOUS EN PRENDRE À CETTE FILLE AUSSI ?

11

SI LE BESOIN S'EN FAIT SENTIR...
... POURQUOI PAS ?

STAP
CETTE DISCUSSION COMMENCE À ME SAOULER SÉRIEU-SEMENT !

SBOM
ズン…
PLONK

12

ÇA SE PRÉSENTE TRÈS MAL...!! IL NE RESTE PLUS QU'UN ESPOIR !
MAÎTRE JACK, FRAPPEZ-MOI !!
HEIN ?!
IL FAUT QUE JE DORME ENCORE UNE FOIS !!
SURTOUT, NE RETENEZ PAS VOTRE FORCE, JE VOUS EN PRIE !!
JE NE COMPRENDS PAS BIEN... MAIS PUISQUE TU INSISTES !

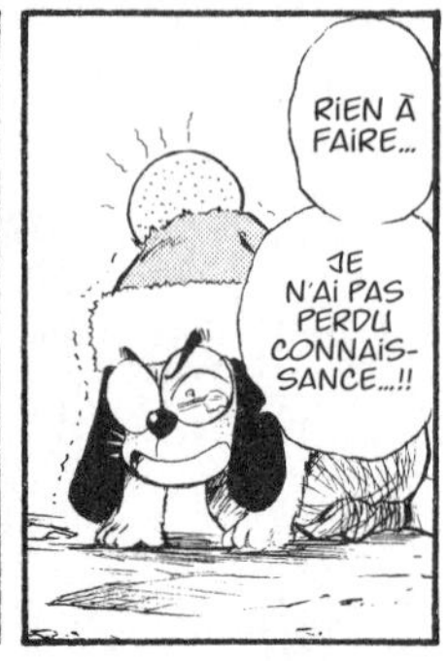
RIEN À FAIRE...
JE N'AI PAS PERDU CONNAIS-SANCE...!!

JE SUIS UN VASSAL INUTILE...!!
PRINCESSE SNOW...!!

KORO CHAN ! HALLOWEEN N'EST TOUJOURS PAS ARRIVÉ ?
J'AI ENVIE DE RETOURNER AU PALAIS POUR BOIRE ! ON S'ENNUIE ICI...
IMPOSSIBLE D'EXTIRPER SNOW DE LA GLACE, TANT QU'IL NE SERA PAS LÀ.
ENCORE UN PEU DE PATIENCE, YAN.
ET POUR LA ÉNIÈME FOIS, NE M'APPELLE PLUS KORO "CHAN" !

HAL-LOWEEN EST INCAPABLE D'ARRIVER À L'HEURE ...
C'EST DÉCIDÉ !!!

JE VAIS VOUS ÉCRASER !!
...
VOUS M'AVEZ MIS DANS UNE RAGE FOLLE !!

J'ADMETS, JE NE SUIS PAS TRÈS FORT POUR L'INSTANT.
JE NE SAIS PAS ME SERVIR CORRECTEMENT DE BABBO...
MAIS...

UN PAR UN !!!
JE VOUS ÉCRASERAI TOUS !!
MÄR HEAVEN !!!
LA PRINCESSE SNOW !!!

J'AiME BiEN TON STYLE, TU SAiS ?
MAiS Si TU PERDS CET ASSAUT, TU N'AURAS PAS D'AUTRE CHANCE...
!

JE NE GAGNERAI PEUT-ÊTRE PAS...
... MAIS JE PEUX OBTENIR LE MATCH NUL !
SBRAAAM

IL A JETÉ BABBO EN L'AIR... ET L'A FAIT GROSSIR DÉMESURÉMENT...
... AU MÉPRIS DU DANGER POUR LUI-MÊME ?
MÊME LE FANTÔME NE FAISAIT PAS CE GENRE DE CHOSES...!!
C'EST DE LA FOLIE PURE !!!
GINTA!!!
FFFF
ぐおお…

TU TE DÉBROUILLES PLUTÔT BIEN, FINALEMENT !!!
GINTA !!!
TU M'AS IMPRESSIONNÉ, LÀ. JE N'AVAIS PAS PRÉVU CETTE ATTAQUE !!!
MON BRAS EST CASSÉ. WHA HA HA HA !!!
TU N'ES PAS MAL NON PLUS...
... JE DOIS DIRE...
HH... HH...
GINTA !!!
GINTAAAA !!!
EDO N'EST PAS DANS SON ÉTAT NORMAL !
TU L'AS ASSOMMÉ AVEC BABBO !
PSWIM

ÉPISODE 18 : PRINCESSE SNOW 5 UN AUTRE EDWARD

... ET BONJOUR LA COMPAGNIE !
ÉPISODE 18 :
PRINCESSE SNOW
5 UN AUTRE EDWARD

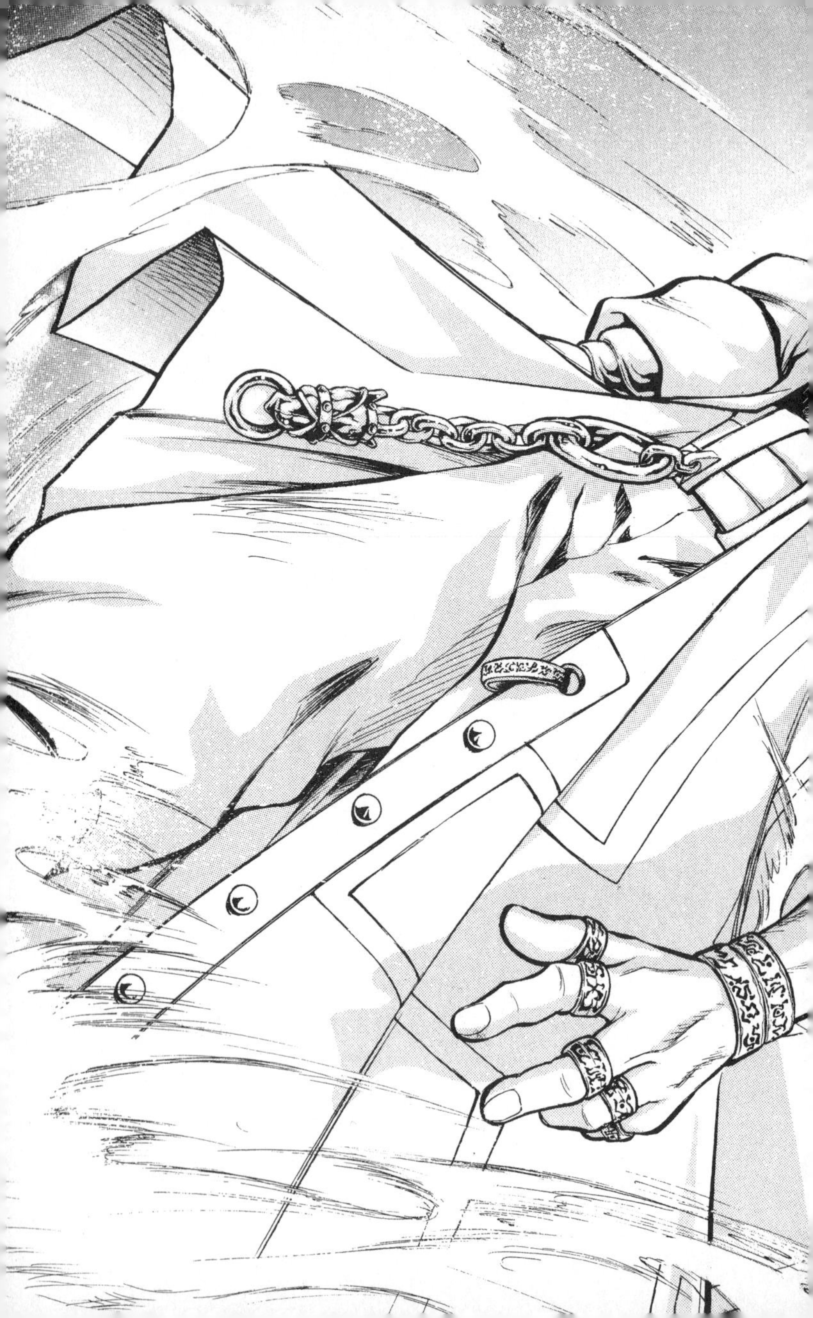

OÙ EST PASSÉ LE TOUTOU ?
IL S'EST TRANSFORMÉ EN HOMME ?!
C'EST PAS VRAI...
... CE TYPE ?!

STAP
STAP

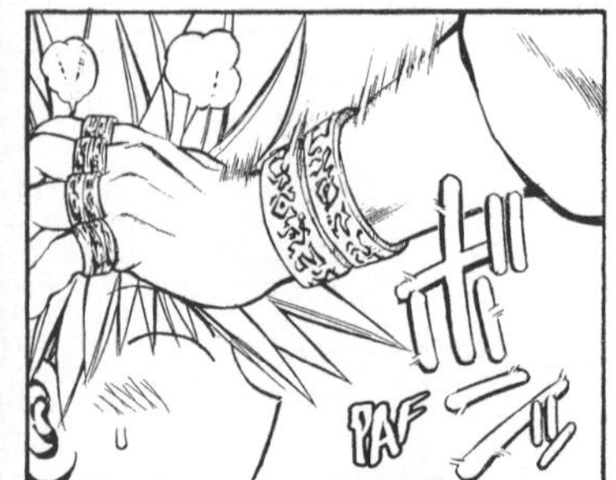
PAF

TU T'ES BIEN BATTU, PETIT...
FELICITATIONS!!!

5

MON-SIEUR... VOUS AVEZ VU UN CHIEN, QUELQUE PART ? IL S'APPELLE EDO.
C'EST MOi.
MAIS NON... UN CHIEN ...!
C'EST MOi.

FWiiiiSH

TiENS, M'SIEUR CLÉBARD !

TU VIENS NOUS METTRE DES BÂTONS DANS LES ROUES, CETTE FOIS ENCORE ?
TU N'AS PAS LA COTE AUPRÈS DE NOS GARS EN CE MOMENT, TU SAIS ?
TU FAIS UN PEU TROP LE FIER POUR QUELQU'UN QUI S'EST FAIT CASSER LE BRAS PAR UN GAMIN.
DISPARAIS !!!
MÊME AVEC UN SEUL BRAS, JE PEUX...
ZWOOOSH
STAK

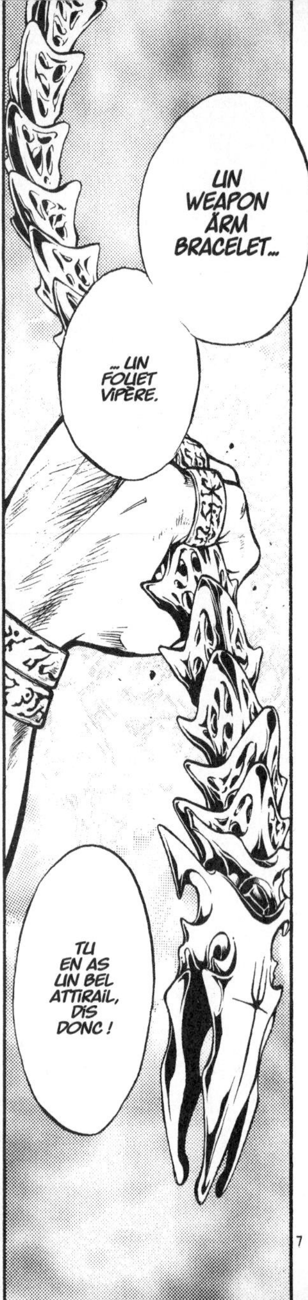
UN WEAPON ÄRM BRACELET...
... UN FOUET VIPÈRE.
TU EN AS UN BEL ATTIRAIL, DIS DONC !

MAIS TU T'EN SERS COMME UN MINABLE.
...
Kjii

RETIRONS-NOUS !
MAINTENANT QU'IL S'EST MONTRÉ, INUTILE D'INSISTER.
IL RISQUERAIT DE NOUS CAUSER DES PROBLÈMES.

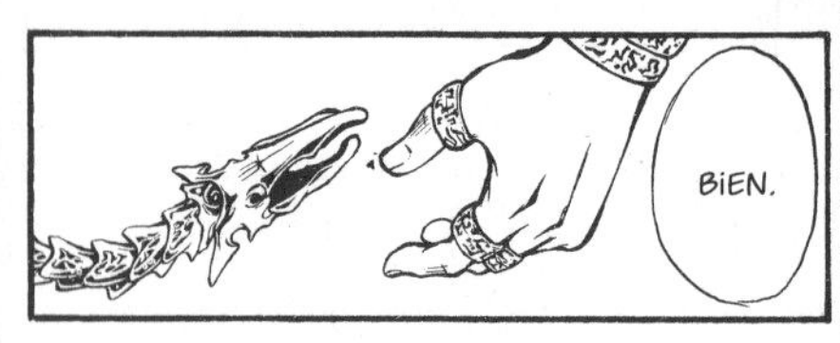
BIEN.

TOI, C'EST "GINTA", C'EST ÇA ?

JE T'AI BIEN OBSERVÉ DEPUIS L'INTÉRIEUR DU CHIEN.
JE SUPPOSE QU'IL EN FAIT DE MÊME EN CE MOMENT.

POUR DES RAISONS TROP LONGUES À EXPLIQUER ICI...
... NOS CORPS SE SONT COMBINÉS.
MAIS NOUS RESTONS BIEN UN HOMME ET UN CHIEN DISTINCTS.

LORSQUE EDO LE CHIEN DORT 3 FOIS, J'APPARAIS.
MAIS SI JE DORS UNE FOIS, C'EST LUI QUI SORT.
PAS TRÈS ÉQUITABLE, TU EN CONVIENS ? GWAH HA HA HA...
1 FOIS
3 FOIS

8

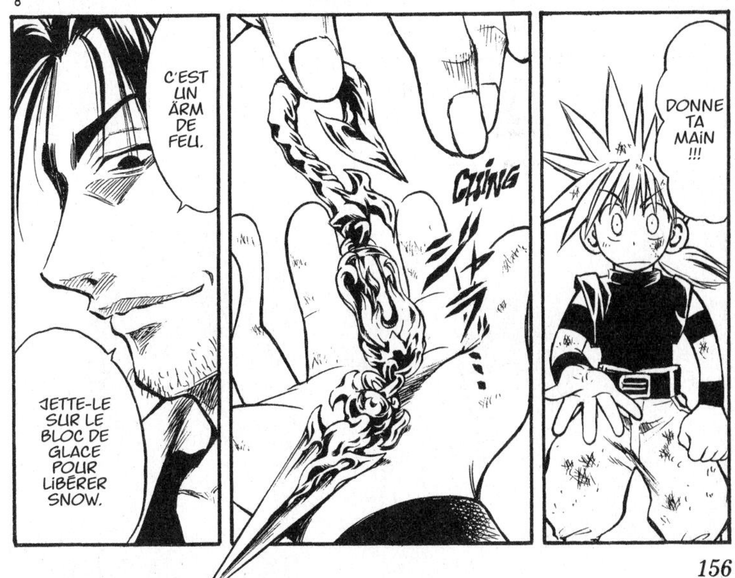
DONNE TA MAIN !!!
CHING
C'EST UN ÄRM DE FEU.
JETTE-LE SUR LE BLOC DE GLACE POUR LIBÉRER SNOW.

C'EST UNE FLEUR QUE JE TE FAIS.
VA !
O.K. !!!
DASH
JE NE TE LAISSERAI PAS FAIRE !
FWP

PTAM
KRRRSH
JE CROYAIS T'AVOIR DIT DE DISPARAÎTRE ?!
MORVEUX.

ÇA ME RAPPELLE UNE SCÈNE DE LA BELLE AU BOIS DORMANT...
N'EN PROFITE PAS TROP !

TU AS TENU BON JUSQU'ICI...
SANS PLUS TARDER...

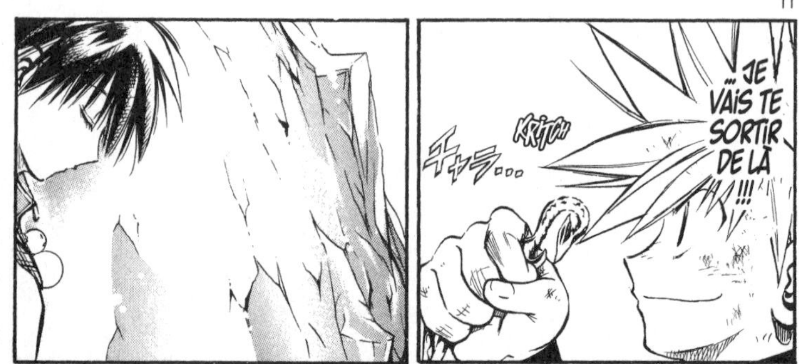
... JE VAIS TE SORTIR DE LÀ !!!
KRITCH
チャラ...

CRIIITCH
CRICK
CRICK
CRIIICK

14

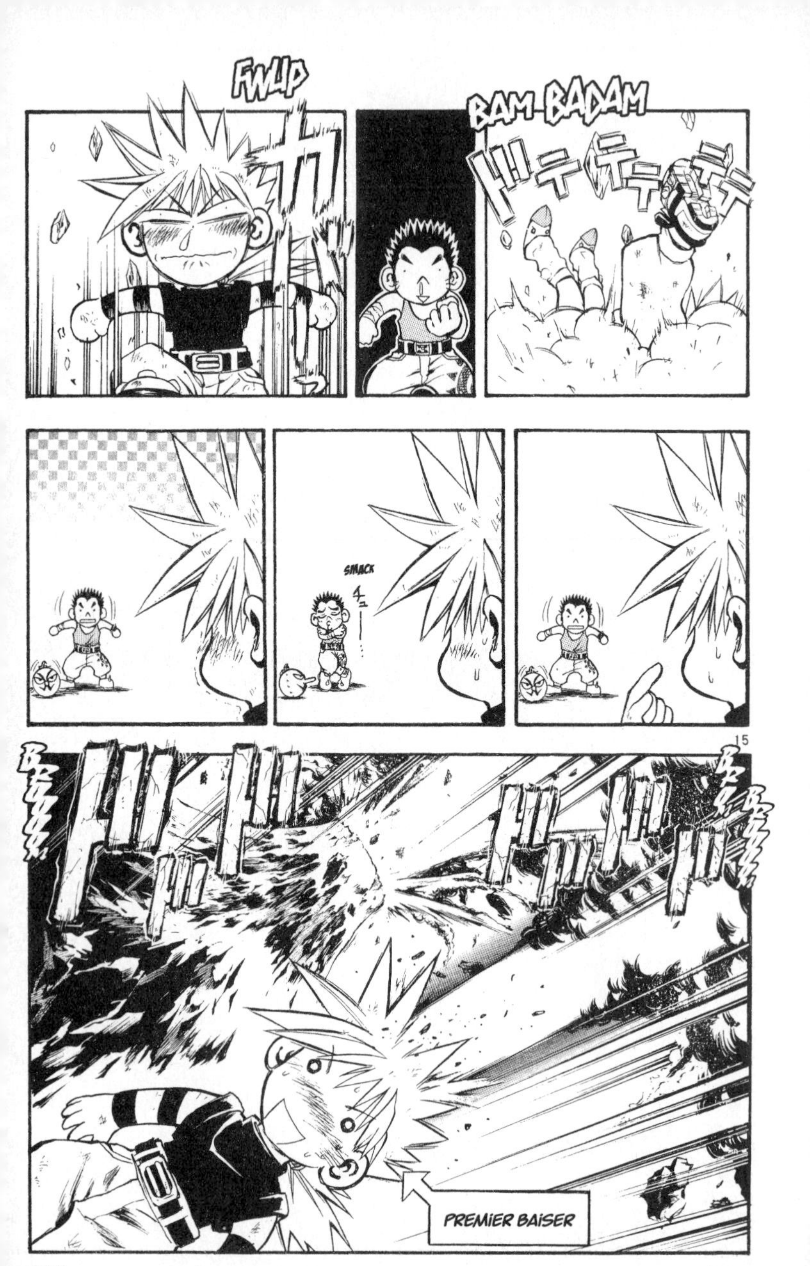
FWUP
BAM BADAM
SMACK
PREMIER BAISER

キョロ
OH !!!
EDO !!
ALORS, TU ES VENU ME SAUVER ?!

PAS TOUT À FAIT.
LE CHIEN EST ALLÉ CHERCHER DE L'AIDE.
ET CELUI QUI T'A PORTÉ SECOURS...

... C'EST LE GARÇON QUI S'EST ÉVANOUI LÀ-BAS.

17

FWAH
TONK
JE SUIS EN RETARD, DÉSOLÉ.
LA PRINCESSE EST TOUJOURS EN VIE ?
!

EH BIEN, TU AS PRIS TON TEMPS !
PAR TA FAUTE, LA SITUATION S'EST COMPLIQUÉE.
JE SUIS ASSEZ EN COLÈRE, POUR NE RIEN TE CACHER.
IL S'EST PASSÉ BEAUCOUP DE CHOSES DE NOTRE CÔTÉ AUSSI.
LA CÉLÉBRATION VIENT DE FINIR.
NOUS AVONS DE NOUVELLES INSTRUCTIONS.
"LA MOBILISATION GÉNÉRALE DE TOUTES LES PIÈCES DE L'ÉCHIQUIER EST PROCLAMÉE... LA 2e GUERRE DE MÄR HEAVEN SE PRÉPARE !!"
PIÈCE DE L'ÉCHIQUIER
HALLOWEEN
RANG
CAVALIER

ÉPISODE 19 :
PRINCESSE SNOW
6 REBONDISSEMENTS

ENCORE!!!
ÍL EN SORT DE PARTOUT !!!

LA 2e GUERRE DE MÄR HEAVEN...
NOUS ALLONS ENCORE NOUS EN PRENDRE À LA PLANÈTE ENTIÈRE ?

PARFAITEMENT. LA MISSION D'ENLÈVEMENT DE LA PRINCESSE EST REMISE À PLUS TARD.
VOICI LES PAROLES DU FANTÔME.

IL NOUS FAUT RAFRAÎCHIR LA MÉMOIRE DE CEUX QUI NOUS ONT OUBLIÉS.
NOUS ALLONS LEUR RAPPELER CE QU'EST L'ÉCHIQUIER !!!

QUI DOIT SIÉGER SUR LE TOIT DU MONDE ?!
QUI POSSÈDE LA FORCE ?!

JE SUIS REVENU À LA VIE !
IL FAUT QUE CELA SE SACHE !!

QU'EN PENSES-TU ? C'EST PROMETTEUR, N'EST-CE PAS ?
HÉ, LÀ !!!
HÉ, TU FAIS DES MESSES BASSES DEPUIS TOUT À L'HEURE...
... LA TOMATE !!!

TIENS...!
IL Y AVAIT BIEN DES BRUITS QUI COURAIENT. MAIS EST-CE VRAIMENT TOI ?
ALAN...?
NON.

JE SUIS EDO, DÉSORMAIS.
ÇA DOIT FAIRE 6 ANS, PAS VRAI ?

RAVI DE TE SAVOIR EN FORME...
HU HU HU !

IL SE SOUVIENT AUSSI DE LA GUERRE...
... L'HALLOWEEN CRUCIFIÉ !!!

ALORS, L'ÉCHIQUIER EST DÉCIDÉMENT EN TRAIN DE SE RECOMPOSER !!
ET EN IMAGINANT LE PIRE...
... LE FANTÔME EST RESSUSCITÉ !!!

GINTA!!!

RÉVEILLE-TOI !

6

QU'EST-CE QU'IL Y A, KOYUKI ?
JE DORMAIS SI BIEN...
IL FAUT QUITTER LA CLASSE. ♫

TU AS ENCORE RÊVÉ DU MONDE FÉERIQUE ?
OUI, TOUT À FAIT !

UNE PRINCESSE ÉTAIT PRISONNIÈRE DES GLACES !
POUR LA SAUVER, MES COMPAGNONS ET MOI PÉNÉTRIONS DANS UN CHÂTEAU INHABITÉ. MAIS LÀ, NOUS TOMBIONS SUR LES TERRIBLES PIÈCES DE L'ÉCHIQUIER... AVEC MON ÄRM "BABBO", JE...
ALLONS !!!
ALLONS !!!

S'IL TE PLAÎT...
RÉVEILLE-TOI !!

BROOOOM
PSWIM
KOYUKI ?!
AH, ÇA C'EST DRÔLE ! JE RÊVAIS QUE JE SORTAIS D'UN RÊVE !
HA HA
HA HA
JE SUIS EN PLEIN DÉLIRE !!!
C'EST MAINTENANT, LA RÉALITÉ !!!
STAP
!

ILS SONT UN DE PLUS !!

TOI AUSSI...
... TU ES DE L'ÉCHIQUIER ?

QUI EST LE GAMIN AVEC LES CHEVEUX ÉBOURIFFÉS ?!
IL S'APPELLE GINTA. ET IL M'A CASSÉ LE BRAS.
C'EST UNE PLAISANTERIE ?
JE T'ASSURE !!!

HYA HA HA HA HA HA HA !!!
CE N'EST PAS ALAN, MAIS LE MIOCHE ? HYA HA HA HA HA !
TU ES TROP DRÔLE, YAN !
GRMBL
ムカー
C'EST LA CRAMPE DE L'ANNÉE !
ILS SE MOQUENT DE TON PROTÉGÉ !
C'EST DRÔLE, NON ?
ET SI C'ÉTAIT VRAI ?
QUE FERAIS-TU, HALLOWEEN ?

PETIT !!!
QUI ES-TU ?!

JE M'APPELLE GINTA !!

VOUS AUTRES, DE L'ÉCHIQUIER, VOUS COMPLOTEZ CONTRE MÄR HEAVEN, N'EST-CE PAS ?
VOILÀ POURQUOI VOUS DEVREZ M'AFFRONTER.
PRÉPAREZ-VOUS À PERDRE !

PFFRRR...
IMPOSSIBLE DE RETENIR MON FOU RIRE...
IL S'EST SERVI DE BABBO !

DE BABBO ?

12

UN AUTRE QUE LE FANTÔME S'EST SERVI DE SON ÄRM, VRAIMENT ? PETA DISAIT LA VÉRITÉ, ALORS ! JE CROYAIS QUE CE N'ÉTAIT QU'UNE RUMEUR NON FONDÉE.
BABBO ! TU T'ES LAISSÉ APPRIVOISER PAR UN GAMIN ?
QUOI QU'IL EN SOIT, SUIS-NOUS! ALLEZ, HOP HOP !
NE ME SIFFLE PAS COMME UN CHIEN, TRISTE VERMINE !
TU MÉRITERAIS QUE JE TE CROQUE LA TÊTE !
...
IL N'A PLUS TOUTE LA SIENNE, APPAREMMENT.
FWOP
VOUS FERIEZ BIEN DE NE PAS PRENDRE GINTA À LA LÉGÈRE !!
PARCE QU'IL VIENT D'UN AUTRE MONDE ! OUI, PARFAITEMENT !!!

?
HM ?
VOUS NE ME CROYEZ PAS, C'EST ÇA ?
PETIT...
FFFF
TU DIS VRAI ?!
GNIIIK
14

AH, ME REGARDEZ PAS COMME ÇA !
BADA
ZA!!
TU FAIS TON PETIT NUMÉRO ET ENSUITE TU T'ÉVANOUIS ! MACAQUE !!!
BADA
IL DIT LA VÉRITÉ !
JE SUIS VENU GRÂCE À PIERROT, LE GARDIEN DES PORTES !
ÇA VOUS POSE UN PROBLÈME ?!

HO HO HO !
HOU HOU HOU... HA HA HA !!
UN HABITANT D'UN AUTRE MONDE !!! COMME LE VISITEUR D'AUTREFOIS...
JE COMPRENDS MIEUX COMMENT TU AS PU BRISER LE BRAS DE YAN.

JE ME CHARGE DE LUI !
NON, KORO. LES INSTRUCTIONS SONT DE SE RENDRE AU PALAIS. ELLES CONCERNENT TOUS LES EFFECTIFS ET NE SAURAIENT SOUFFRIR AUCUN DÉLAI.
LE RAPT DE LA PRINCESSE OU LA RÉCUPÉRATION DE BABBO SONT AJOURNÉS !
TUER LE VISITEUR DE L'AUTRE MONDE N'EST PAS UNE PRIORITÉ.
MÊME S'IL Y A DE QUOI ÊTRE SURPRIS, J'AVOUE ...
HU HU HU...

ZWIM
CETTE GUERRE PROMET D'ÊTRE PASSIONNANTE. À TOUS POINTS DE VUE...
HU HU !
WHA HA HA HA HA HA !!!
SHUP

CEPENDANT...
... NOUS AVONS UN INVITÉ DE MARQUE...

VOUS FUYEZ, LÂCHES ?!
JE N'AIME PAS ÇA DU TOUT.
ILS SE SONT RETIRÉS TROP FACILEMENT ...!!

MAIS JE ME TROMPE, PEUT-ÊTRE...
ÇA ME REPLONGE DANS LE PASSÉ.

16

EUH...

RAVIE DE TE CONNAÎTRE.
MON NOM, C'EST SNOW.

JE TE REMERCIE DE M'AVOIR SAUVÉE !
CE N'EST PAS SEULEMENT SON VISAGE...
SA GESTUELLE...
SA VOIX...
L'AURA QU'ELLE DÉGAGE...

TOUT M'EST FAMILIER CHEZ ELLE.

MAIS ALORS ...
... DANS CE CAS...
SDOBAM
ドテ
... JE CROIS QUE J'AI TROMPÉ KOYUKI...

EDO !! EDO !!
TU ÉTAIS PRÉSENT, TOUT À L'HEURE ?!
QU... QUE PENSES-TU DE TOUT CELA ?

C'ETAIT UN BAISER.
ET ALORS ?

C'EST TERRIBLE !!!
C'EST MA PREMIÈRE FOIS...
ドキドキ
BOM BOM

IL N'Y A RIEN DE DRAMATIQUE.
MÊME SI LE SAC À PUCES EN MOI HURLE LE CONTRAIRE !!
がはははははは
WHA HA HA HA HA
IL A LE SOMMEIL FACILE.
NE TE MOQUE PAS DE MOI, EDO !
MON COEUR BAT LA CHAMADE !

TIENS !!!

LA NEIGE ET LA GLACE ONT FONDU !!
TU AS RÉUSSI, GINTA ! ♡

JE NE SAURAIS PAS ME L'EXPLIQUER...
... MAIS JE SUIS UN PEU NERVEUSE !!
L'INTUITION FÉMININE, PEUT-ÊTRE.

PREMIER CAVALIER !
VOS COMPAGNONS VOUS ATTENDENT DANS LA GRANDE SALLE.

MÄR 2 (FIN)

LA FIÈVRE MONTE...

L'ÄRM DU FANTÔME A PERDU LA MÉMOIRE !!

CE N'EST PAS VRAI !!!

BABBO !!!

MAIS POURRAS-TU TENIR LES MÊMES PROPOS, QUAND LA MÉMOIRE LUI SERA REVENUE ET QU'IL SE SERA RETOURNÉ CONTRE TOI ?

MÄR

MÄRCHEN AWAKEN ROMANCE

VOUS NOUS AVEZ OUBLIÉS.

IL FAUT VOUS RAFRAÎCHIR LA MÉMOIRE !!

NOUS NE POUVONS LE TOLÉRER !!

À DÉCOUVRIR BIENTÔT DANS LE 3E VOLUME !

PAGE BONUS !

PAR NOBUYUKI ANZAI

JE VOUS PRÉSENTE LES NOUVEAUX MEMBRES DE MON STAFF.
FUSE XS
ET LA PREMIÈRE ASSISTANTE FÉMININE.
HIROPON
J'AI CONNU FUSE QUAND IL ÉTAIT ENCORE AU LYCÉE, IL Y A 7 ANS.
AH OUAIS ? VOUS ÊTES DESSINATEUR ?
JE L'AVAIS RENCONTRÉ DANS UNE SALLE D'ARCADE. JE N'AURAIS JAMAIS IMAGINÉ QU'ON TRAVAILLERAIT ENSEMBLE UN JOUR...

HIROPON, DONC (19 ANS).
C'EST UNE FILLE. COMMENT VA-T-ON POUVOIR COMMUNIQUER ?
コリ
カリ
MONSIEUR ANZAI !!!
OUI ?
BADA
BADA
トタトタ...
SURVETEMENT DE SPORT
RETROUSSE JUSQU'AUX GENOUX
MAIS C'EST ABSOLUMENT PAS FÉMININ, TOUT ÇA !!
J'Y PEUX RIEN. IL FAIT CHAUD.
ELLE NE PREND JAMAIS LA MOUCHE.
COOL.

7, avenue P-H Spaak - 1060 Bruxelles
2ème édition

Dépôt légal d/2005/0086/258
ISBN 2-87129-803-3

Conception graphique : Les Travaux d'Hercule
Traduit et adapté en français par Sébastien Bigini
Adaptation graphique : Eric Montésinos

Imprimé en France par Hérissey/Groupe CPI - Evreux